# A miséria da política

*Fernando Henrique Cardoso*

# A miséria da política

## Crônicas do lulopetismo e outros escritos

Organização de
Miguel Darcy de Oliveira

1ª edição

CIVILIZAÇÃO BRASILEIRA
Rio de Janeiro
2015

CIP-BRASIL. CATALOGAÇÃO NA FONTE
SINDICATO NACIONAL DOS EDITORES DE LIVROS, RJ

Cardoso, Fernando Henrique, 1931-
C262m A miséria da política: Crônicas do lulopetismo e outros escritos/Fernando Henrique Cardoso; organização Miguel Darcy de Oliveira. - 1ª ed. - Rio de Janeiro: Civilização Brasileira, 2015.
352 p.; 21 cm.

ISBN 978-85-200-1283-3

1. Ciência política. 2. Poder (Ciências Sociais). 3. Democracia. 4. Desenvolvimento econômico - Brasil. 5. Brasil - Política e governo. I. Oliveira, Miguel Darcy de. II. Título.

CDD: 320
15-24586 CDU: 32



Texto revisado segundo o novo Acordo Ortográfico da Língua Portuguesa.

Direitos desta edição adquiridos pela
EDITORA CIVILIZAÇÃO BRASILEIRA
Um selo da
EDITORA JOSÉ OLYMPIO LTDA.
Rua Argentina, 171 - Rio de Janeiro, RJ - 20921-380 -
Tel.: (21) 2585-2000



Impresso no Brasil
2015

# Sumário



## Crônicas

## Prefácio

*Fernando Henrique Cardoso*

Este livro reúne textos que escrevi de 2010 até agora, selecionados por Miguel Darcy de Oliveira. É a primeira vez que enfeixo artigos de jornal em livro. O organizador, a quem agradeço a dedicação e a disposição de colocar sua competência na tarefa, conseguiu encontrar crônicas com suficientes pontos de ligação para serem publicadas em conjunto. Por tratar-se de crônicas, não cabia fazer considerações mais abstratas, por isso concordei com Miguel Darcy que seria útil juntar a elas quatro discursos nos quais existem cogitações mais conceituais.

As crônicas reunidas na primeira parte do livro foram escritas ao sabor do cotidiano da política. Nelas, o tema é quase sempre o que chamei de *lulopetismo*, à falta de melhor qualificação. Na releitura dá para perceber como, sob a Presidência de Dilma Rousseff, tornou-se claro como se organizou no Brasil um *bloco de poder* petista. Este, além do alegado carisma de Lula, que foi decisivo para as eleições da atual presidente, formou-se soldando o espírito partidário à administração pública e às empresas estatais. Sua solidez política derivou não apenas da mensagem do líder, mas de políticas públicas que favoreceram as classes populares e do entrelaçamento de setores privados aos públicos graças à expansão do crédito, às facilidades dos órgãos financiadores do governo e aos ventos favoráveis da economia internacional no período 2004–2008.

Não faltaram, por sua vez, estímulos derivados mais diretamente da massa de recursos que foram sendo postos por baixo do pano à disposição dos partidos dominantes, especialmente do PT — processo que começara a se evidenciar no *mensalão* e apareceu de corpo inteiro no *petrolão*. Nas crônicas mais recentes dá para vislumbrar o desfazimento do sistema de alianças que manteve por tanto tempo a solidez eleitoral e política do lulopetismo. Com efeito, a partir da queda do ministro Antonio Palocci, ainda no governo Lula, já se insinuava uma mudança de política econômica que foi destruindo as bases do tripé que, a partir de 1999, dava viabilidade à expansão capitalista no Brasil: metas de inflação, câmbio flutuante e lei de responsabilidade fiscal.

A aparente aceitação de formas de associação entre o investimento privado e o público pelo petismo no período Rousseff, tanto na área de infraestrutura como na energética, foi-se transformando gradualmente em quase antagonismo entre Estado e mercado. Sob o fundamento de a reação à crise financeira internacional (2007/2008) ter tido sucesso com as políticas anticíclicas, o governo petista passou a propagar outro *modelo de crescimento*, que denominou *nova matriz econômica*. Em que consistiu essa novidade? Basicamente, em uma atitude regressiva, a partir da qual a preocupação com o equilíbrio relativo das contas públicas seria uma política *de direita*.

Os cofres públicos foram abertos a toda sorte de ventura, desde projetos faraônicos (como em alguns momentos dos governos dos generais), do tipo trem-bala, até ao exagero na dose de *conteúdo nacional* para o investimento na exploração do petróleo ou à busca de empresários globais formados não pela competição em mercado, mas insuflados por correntes de dinheiro subsidiado via Tesouro/BNDES etc. Ao lado disso, crédito barato e maciço para o consumo, e contínuos aumentos salariais acima dos ganhos de produtividade. Estava feita a mágica do crescimento sem investimento...

Porém, a hora da verdade chegou, especialmente nos dois últimos anos do primeiro mandato do governo Rousseff, e explodiu no segundo mandato: as contas não fechavam, nem as internas nem as externas. No atual governo a presidente teve de entregar as chaves do cofre a quem tem um pensamento oposto ao dela sobre a *nova matriz*, para que as usasse com energia e com elas fechasse o fluxo de benesses. Mais recentemente convocou, para contornar as agruras do ajuste, o líder de um partido aliado do qual até então era a gata borralheira.

As crônicas ora publicadas contam partes dessa história. Não ressaltam suficientemente o que agora é óbvio: o auge da hegemonia petista está no passado, e tinha pés de barro. Enquanto o bezerro de ouro podia ser acariciado por todos, isto é, usando o jargão de moda, pelo andar de cima e pelo de baixo, a líder era imbatível e o governo, um novo milagre. Paulatinamente, o andar de cima percebeu, antes do que o de baixo, que não sobraria para muitos. Começaram as lamúrias e as saudades, a nostalgia dos bons tempos de Lula; não se apercebiam que os bons tempos não eram devido a uma pessoa — sem negar o que há de valioso em lideranças competentes —, mas a políticas bem definidas e a uma conjuntura internacional favorável, basta ver a inversão de preços entre commodities de exportação e produtos industrializados. Foi o momento do "ah! que saudades" e de críticas à presidente Dilma, como se se tratasse de uma questão de maior ou menor habilidade para governar (o que também conta), e não de condições (e erros) mais gerais, que datam de antes do primeiro mandato de Dilma Rousseff e que nele foram acentuadas.

Sobre tudo isso recaiu o que chamarei de uma *crise moral*. É *petrolão* que não acaba mais, engatando com o *mensalão* e com o muito de encoberto que há pelas entranhas do governo afora, sempre com a cumplicidade de setores empresariais e com o benefício de setores ou de líderes partidários, tudo originado antes dos governos Dilma e avançando por eles adentro. É o que está dito ou entredito nas crônicas recolhidas neste livro.

Na segunda parte estão publicados outros quatro textos, na verdade três discursos feitos em algumas cerimônias e um artigo. Uns foram escritos e ditos em inglês — que Miguel Darcy, além de ajudar a pô-los em linguagem mais decente, traduziu-os* —, outros em português: um na Academia Brasileira de Letras, outro publicado na revista *Interesse Nacional*.

* Agradeço também a Brian Winter, coautor do livro *The Accidental President of Brazil*, que ajudou no texto em inglês do discurso "Razão e emoção".

O primeiro destes dois é publicado neste livro seletivamente: excluí as partes relativas aos elogios de praxe que os novos membros da Academia Brasileira de Letras fazem a seus antecessores, pois é matéria diversa da *questão da democracia*, sobre a qual, no geral, versam os demais textos. É justo dizer que o capítulo "Razão e emoção" também trata de tema distinto dos demais ensaios. Reproduz discurso feito na Library of Congress, ou seja, na Biblioteca do Congresso — e não como muitos pensam no Congresso — dos Estados Unidos, instituição centenária que premia pessoas cujas obras se dedicam a áreas das ciências humanas não alcançadas pelo Prêmio Nobel. Distinção que muito me honra, posto que é objeto de avaliação por comitês de especialistas de todo o mundo. No discurso feito no dia da entrega do prêmio concentrei-me em resumir meu percurso intelectual e a agradecer tão alta distinção. Os demais discursos foram feitos em cerimônias de concessão dos últimos títulos de doutor *honoris causa* que recebi, um da Universidade de Tel Aviv, em Israel, outro em Chicago, da Universidade Roosevelt, nos Estados Unidos. Em ambos aproveitei a ocasião para analisar aspectos e desafios da democracia contemporânea, o mesmo que fiz em trabalho anterior, sobre o papel da oposição.

Neste, que data de 2011, discuti alguns aspectos do mesmo tema no Brasil, chamando a atenção para o que hoje é evidente: a importância do que se chama de *crise da representação* nas democracias contemporâneas. O encaminhamento de soluções para tal tipo de crise não requer diminuição na representação, mas aumento de sua autenticidade, e, sobretudo, pede novas formas de interação entre cidadãos e Estado, suscitadas pela ampliação das informações e pelo maior desejo de participação, graças especialmente à maior conectividade entre as pessoas, na internet. Além disso, existe o anseio crescente por mais *democracia substantiva*, ou seja, políticas que ofereçam melhor educação, segurança, saúde, transporte e mais e melhores empregos.

Por fim, o título do livro, *A miséria da política*, é uma brincadeira óbvia — imitando o título dado por Karl Marx a seu opúsculo crítico a Pierre-Joseph Proudhon —, para fazer o contraponto à visão laudatória que o lulopetismo tem de seus feitos. Em matéria de democracia, de 2000 e poucos para cá, a despeito da importante redução da pobreza (proeza que regimes não democráticos em certos momentos também já fizeram), houve antes regressão do que avanço. E uma esquerda que não se abre esperançosa ao futuro, ampliando não só o bem-estar, mas o acesso da cidadania à informação e um caminho de prosperidade contínua assentada na boa economia e na democracia não faz jus às origens que proclama.

# 2010

# Sem medo do passado*

O presidente Lula passa por momentos de euforia que o levam a inventar inimigos e enunciar inverdades. Para ganhar sua guerra imaginária distorce o ocorrido no governo do antecessor, autoglorifica-se na comparação e sugere que se a oposição ganhar será o caos. Por trás dessas bravatas está o personalismo e o fantasma da intolerância: só eu e os meus somos capazes de tanta glória. Houve quem dissesse "o Estado sou eu". Lula dirá, "o Brasil sou eu"! Ecos de um autoritarismo mais chegado à direita.

Lamento que Lula se deixe contaminar por impulsos tão toscos e perigosos. Ele possui méritos de sobra para defender a candidatura que queira. Deu passos adiante no que fora plantado por seus antecessores. Para quê, então, baixar o nível da política à dissimulação e à mentira?

A estratégia do lulopetismo é simples: desconstruir o inimigo principal, o PSDB e FHC (muita honra para um pobre marquês...). Por que seríamos o inimigo principal? Porque podemos ganhar as eleições. Como desconstruir o inimigo? Negando o que de bom foi feito e apossando-se

* Originalmente publicado nos jornais *O Estado de S. Paulo* e *O Globo*, em 7 de fevereiro de 2010.

de tudo que dele herdaram como se deles sempre tivesse sido. Onde está a política mais consciente e benéfica para todos? No ralo.

Na campanha haverá um mote — o governo do PSDB foi neoliberal — e dois alvos principais: a privatização das estatais e a suposta inação na área social. Os dados dizem outra coisa. Mas, os dados, ora os dados... O que conta é repetir a versão conveniente.

Há três semanas Lula disse que recebeu um governo estagnado, sem plano de desenvolvimento. Esqueceu-se da estabilidade da moeda, da lei de responsabilidade fiscal, da recuperação do BNDES, da modernização da Petrobras, que triplicou a produção depois do fim do monopólio e, premida pela competição e beneficiada pela flexibilidade, chegou à descoberta do pré-sal. Esqueceu-se do fortalecimento do Banco do Brasil, capitalizado com mais de R$ 6 bilhões, junto com a Caixa Econômica Federal, libertado da politicagem e recuperado para a execução de políticas de Estado. Esqueceu-se dos investimentos do programa Avança Brasil, que, com menos alarde e mais eficiência que o PAC, permitiu concluir um número maior de obras essenciais ao país. Esqueceu-se dos ganhos que a privatização do sistema Telebrás trouxe para o povo brasileiro, com a democratização do acesso à internet e aos celulares; do fato de que a Vale privatizada paga mais impostos ao governo do que este jamais recebeu em dividendos quando a empresa era estatal; de que a Embraer, hoje orgulho nacional, só pôde dar o salto que deu depois de privatizada; de que essas empresas continuam em mãos brasileiras, gerando empregos e desenvolvimento no país.

Lula esqueceu-se de que o Brasil pagou um custo alto por anos de bravatas do PT e dele próprio. Esqueceu-se de sua responsabilidade e de seu partido pelo temor que tomou conta dos mercados em 2002, quando fomos obrigados a pedir socorro ao FMI — com aval de Lula, diga-se — para que houvesse um colchão de reservas no início do governo seguinte. Esqueceu-se de que foi esse temor que atiçou a inflação e levou seu governo a elevar o superávit primário e os juros às nuvens em 2003, para comprar a confiança dos mercados, mesmo que à custa de tudo que haviam pregado, Lula e seu partido, nos anos anteriores.

Os exemplos são inúmeros para desmontar o espantalho petista sobre o suposto neoliberalismo peessedebista. Alguns vêm do próprio campo petista. Vejam o que disse o atual presidente do partido, José Eduardo Dutra, ex-presidente da Petrobras, citado por Adriano Pires, no *Brasil Econômico* de 13 de janeiro de 2010: "Se eu voltar ao parlamento e tiver uma emenda propondo a situação anterior [monopólio], voto contra. Quando foi quebrado o monopólio, a Petrobras produzia 600 mil barris por dia e tinha 6 milhões de barris de reservas. Dez anos depois produz 1,8 milhão por dia, tem reservas de 13 bilhões. Venceu a realidade, que muitas vezes é bem diferente da idealização que a gente faz dela."

Outro alvo da distorção petista refere-se à insensibilidade social de quem só se preocuparia com a economia. Os fatos são diferentes: com o real, a população pobre diminuiu de 35% para 28% do total. A pobreza continuou caindo, com alguma oscilação, até atingir 18% em 2007, fruto do efeito acumulado de políticas sociais e econômicas, entre elas o aumento do salário mínimo. De 1995 a 2002, houve um aumento real de 47,4%; de 2003 a 2009, de 49,5%. O rendimento médio mensal dos trabalhadores, descontada a inflação, não cresceu espetacularmente no período, salvo entre 1993 e 1997, quando saltou de 800 reais para aproximadamente 1.200 reais. Hoje se encontra abaixo do nível alcançado nos anos iniciais do Plano Real.

Por fim, os programas de transferência direta de renda (hoje Bolsa Família), vendidos como uma exclusividade deste governo. Na verdade, eles começaram em um município (Campinas) e no Distrito Federal, estenderam-se para estados (inicialmente Goiás) e ganharam abrangência nacional em meu governo. A Bolsa-Escola atingiu cerca de 5 milhões de famílias, às quais o governo atual juntou outras 6 milhões, já com o nome de Bolsa Família, englobando em uma só bolsa os programas anteriores.

É mentira, portanto, dizer que o PSDB *não olhou para o social*. Não apenas olhou como fez — e fez muito nessa área: o SUS saiu do papel à realidade; o Programa Nacional de Combate à Aids tornou-se referência mundial; viabilizamos os medicamentos genéricos, sem temor às multinacionais; as equipes de Saúde da Família, pouco mais de 300 em 1994, tornaram-se mais de 16 mil em 2002; o programa Toda Criança na Escola trouxe para o ensino fundamental quase a totalidade das crianças de 7 a 14 anos. Foi também no governo do PSDB que se pôs em prática a política que assiste hoje a mais de 3 milhões de idosos e deficientes (em 1996, eram apenas 300 mil atendidos).

Eleições não se ganham com o retrovisor. O eleitor vota em quem confia e lhe abre um horizonte de esperanças. Mas se o lulismo quiser comparar, sem mentir e sem descontextualizar, a briga é boa. Nada a temer.

# Eleição sem maquiagem*

O mundo continua se contorcendo sem encontrar caminhos seguros para superar as consequências da crise desencadeada no sistema financeiro. Até a ideia — que eu defendi nos anos 1990 e que parecia uma heresia — de impor taxas à movimentação financeira reapareceu na voz dos mais ortodoxos defensores do rigor dos bancos centrais e da intocabilidade das leis de mercado. No afã de estancar a sangria produzida pelas exacerbações irracionais dos mercados, outros tantos ortodoxos passaram a usar e até a abusar de incentivos fiscais e benesses de todo tipo para salvar os bancos e o consumo. Paul Krugman, mais recentemente, lamentou a resistência europeia à frouxidão fiscal. Ele pensa que o corte aos estímulos pode levar a economia mundial a algo semelhante ao que ocorreu em 1929. Quando a crise parecia acalmada, em 1933, suspenderam-se estímulos e medidas facilitadoras do crédito, devolvendo a recessão ao mundo. Será isso mesmo? É cedo para saber. Mas, barbas de molho, as notícias que vêm do exterior, e não só da Europa, mas também da ziguezagueante economia americana e da letárgica economia

---

* Publicado originalmente nos jornais *O Estado de S. Paulo* e *O Globo*, em 4 de julho de 2010.

japonesa, afora as dúvidas sobre a economia chinesa, não são sinais de uma retomada alentadora.

Enquanto isso se vive no Brasil oficial como se tivéssemos nos transformado em uma Noruega tropical, na feliz ironia de *O Estado de S. Paulo* em editorial recente. E em tão curto intervalo, que estamos todos atônitos com tanto dinheiro e tantas realizações. Basta ler o último artigo presidencial no *Financial Times*. A pobreza existia na época da *estagnação*. Agora assistimos ao espetáculo do crescimento, sem travas, dispensando reformas e desautorizando preocupações. Se no governo Geisel se dizia que éramos uma ilha de prosperidade num mundo em crise, hoje a retórica oficial nos dá a impressão de que somos um mundo de prosperidade e o mundo, uma distante ilha em crise. Baixo investimento em infraestrutura? Ora, o PAC resolve. Receio com o aumento do endividamento público e o crescente déficit previdenciário? Ora, preocupação com isso é lá na Europa. Aqui, não. Afinal, Deus é brasileiro.

Só que a realidade existe. A prosperidade de uns depende da de outros no mundo globalizado. Por mais que estejamos relativamente bem em comparação com os países de economia mais madura, se estes estagnarem ou crescerem a taxas baixas, haverá problemas. A queda nos preços das matérias-primas prejudicará as nossas exportações, grande parte delas composta de commodities. A ausência de crescimento complicará a solução dos desequilíbrios monetários e fiscais dos países ricos e isso significará menos recursos disponíveis para o Brasil no mercado financeiro global. Não devemos ser pessimistas, mas não podemos nos deixar embalar em devaneios quase infantis, que nos distraem de discutir os verdadeiros desafios do país.

Infelizmente, estamos às voltas com distrações. Um cântico de louvor às nossas grandezas, de uma falta de realismo assustador. Embarcamos na antiga tese de que o Brasil é uma potência mundial e, sem olhar em volta, propomo-nos a dar saltos sem saber com que recursos: trem-bala de custos desconhecidos, pré-sal sem atenção ao impacto do desastre do golfo do México sobre os custos futuros da extração do petróleo, capitalização da Petrobras de proporções gigantescas, uma Petro-Sal de propósitos incertos e de tamanho imprevisível. Tudo grandioso. Fala-se mais do que se faz. E o que se faz é graças a transferências maciças do bolso dos contribuintes para o caixa das grandes empresas amigas do Estado, através de empréstimos subsidiados do BNDES, que de quebra engordam a dívida bruta do Tesouro.

A encenação para a eleição de outubro já está pronta. Como numa fábula, a candidata do governo, bem-penteada e rosada, quase uma princesinha nórdica, dirá tudo o que se espera que diga, especialmente o que o mercado e os parceiros internacionais querem ouvir. Mas a própria candidata já alertou: não é um poste. E não é mesmo, espero. Tem uma história, que não bate com o que se quer que ela diga. Cumprirá o que disse?

No México do PRI, o Partido Revolucionário Institucional, cujo domínio durou décadas, o presidente apontava sozinho o candidato a sucedê-lo, em um processo vedado ao olhar e às influências da opinião pública. No entanto, quando a escolha era revelada ao público — *el destape del tapado* — o escolhido se via obrigado a dizer o que pensava. Aqui, o *dedazo* de Lula apontou a candidata. Só que ela não pode dizer o que pensa para não pôr em risco a eleição. Estamos diante de um personagem a ser moldado pelos marqueteiros. Antigamente, no linguajar que já foi da candidata, chamava-se a isso alienação.

Esconde-se, assim, o que realmente está em jogo. Queremos aperfeiçoar nossa democracia ou aceitaremos como normal os grandes delitos de aloprados e as pequenas infrações sistemáticas, como as de um presidente que dá de ombros diante de seis multas a ele aplicadas por desrespeito à legislação eleitoral? Queremos um Estado partidariamente neutro ou capturado por interesses partidários? Que dialogue com a sociedade ou que se feche para tomar decisões baseadas em pretensa superioridade estratégica para escolher o que é melhor para o país? Que confunda a nação com o Estado e o Estado com empresas e corporações estatais, em aliança com poucos e grandes grupos privados, ou saiba distinguir uma coisa da outra em nome do interesse público? Que aposte no desenvolvimento das capacidades de cada indivíduo, para a cidadania e para o trabalho, ou veja o povo como massa e a si próprio como benfeitor? Que enxergue no meio ambiente uma dimensão essencial ou um obstáculo ao desenvolvimento?

Está na hora de cada candidato, com a alma aberta e a cara lavada, dizer ao país o que pensa.

## Cara ou coroa?*

Em pouco mais de dois meses escolheremos o próximo presidente. Tempo mais do que suficiente para um balanço da situação e, sobretudo, para assumirmos a responsabilidade pela escolha que faremos. É inegável que a popularidade de Lula e a sensação de dinheiro no bolso, materializada no aumento do consumo, podem dar aos eleitores a sensação de que é melhor ficar com o conhecido do que mudar para o incerto.

Mas o que realmente se conhece? Nos últimos vinte anos a vida das pessoas no Brasil melhorou, com a abertura da economia, com a estabilidade da moeda trazida pelo Plano Real, com o fim dos monopólios estatais e com as políticas de distribuição de renda simbolizadas pelas bolsas de programas sociais. Foi nessa moldura que Lula pregou sua imagem. Arengador de méritos, independentemente do que diga (quase nada diz, mas toca em almas ansiosas por atenção), vem conseguindo confundir a opinião, como se antes dele nada houvesse e levando a crer que depois dele, se não houver a continuidade presumida com a eleição de sua candidata, haverá retrocesso.

* Originalmente publicado nos jornais *O Estado de S. Paulo* e *O Globo*, em 1º de agosto de 2010.

Terá êxito a estratégia? Por enquanto o que chama a atenção é a disposição de bem menos da metade do eleitorado votar no governo, enquanto a votação oposicionista se mantém consistentemente próxima da metade. Essa obstinação, a despeito da pressão governamental, impressiona mais do que o fato de Lula ter transferido para sua candidata 35% a 40% dos votos. Assim como impressiona que o apoio aos candidatos não esteja dividido por classes de renda, mas por regiões: pobres do Sul e do Sudeste tendem a votar mais em Serra, assim como ricos do Norte e do Nordeste, em Dilma. O empate, depois de praticamente dois anos de campanha oficial em favor da candidata governista, tem sabor de vitória para a oposição. É como se a lábia presidencial tivesse alcançado um teto. De agora para a frente, a voz deverá ser a de quem o país nunca ouviu, a da candidata. Pode surpreender? Sempre é possível. Mas pelos balbucios escutados falta muito para convencer: falta história nacional, falta clareza nas posições; dá a impressão de que a palavra saiu de um manequim que não tem opiniões fortes sobre os temas e diz, meio desajeitadamente, o que os auditórios querem ouvir.

Não terá sido essa também a técnica de Lula? Até certo ponto, pois quando esbraveja ou quando se aferra pouco à verdade, ele o faz *autenticamente*: sente-se que pode assumir qualquer posição porque em princípio nunca teve posição alguma. Dito em suas próprias palavras: "Sou uma metamorfose ambulante." Ora, o caso da candidata do PT é o oposto (esta é, aliás, sua virtude). Tem opiniões firmes, com as quais podemos ou não concordar, mas ela luta pelo que crê. Este é também seu dilema: ou diz o que crê e possivelmente perde eleitores por seu compromisso com uma visão centralizadora e burocrática da economia e da sociedade, ou se metamorfoseia e vira personagem de marqueteiro, pouco convincente.

Não obstante, muitos comentaristas, como recentemente um punhado de *brazilianists*, quando perguntados sobre as diferenças entre as duas candidaturas, pensam que há mais convergências do que discrepâncias entre os candidatos. Será? As comparações feitas, fundadas ou não, apontam mais para o lado psicológico. O que está em jogo, entretanto, é muito mais do que a diferença ou a semelhança de personalidades. O quadro fica confundido com a discussão deslocada do plano político para o pessoal e, pior, quando se aceita a confusão a que me referi inicialmente, entre a situação de desafogo e bem-estar que o país vive e Lula, que dela se apossou como se fosse obra exclusiva sua. Se tudo converge nos objetivos e se estamos vivendo um bom momento na economia, podem pensar alguns, melhor não trocar o certo pelo duvidoso. Só que o certo foi uma situação herdada, que embora aperfeiçoada, tem a marca original do fabricante, e o duvidoso é a disposição da herdeira eleitoral de continuar a se inspirar na matriz originária. O candidato da oposição, este sim, traz consigo a marca de origem: ajudou a construir a estabilidade, a melhorar as políticas sociais e a promover o progresso econômico.

Não nos iludamos. O voto decidirá entre dois modelos de sociedade. Um mais centralizador e burocrático, outro mais competitivo e meritocrático. No geral, ambos oponentes levarão adiante o capitalismo. Estamos longe dos dias em que o PT e sua candidata sonhavam com o que Lula nunca sonhou: o controle social dos meios de produção e uma sociedade socialista. Mas estamos mais perto do que parece de concretizar o que vem sendo esboçado neste segundo mandato petista: mais controle do Estado pelo partido, mais burocratização e corporativismo na economia, mais apostas em controles não democráticos, além de maior aproximação com governos autoritários, revestidos de retórica popular.

A escolha a ser feita é, portanto, decisiva. Como tudo indica, o teatro eleitoral se organiza para esconder o que verdadeiramente está em discussão. Há muita gente nas elites (vilipendiadas pelo lulismo nos comícios, mas amada pelos governantes e beneficiada por suas decisões econômico-financeiras) aceitando confortavelmente a tese de que tanto dá como tanto deu. Dê cara ou dê coroa, sempre haverá um lado da moeda que desaperte os sapatos. Ledo engano. Há diferenças essenciais entre as duas candidaturas polares. Feitas as apostas e jogado o jogo, será tarde para choramingar, "ah, eu nunca imaginei isso". Melhor que cada um trate de aprofundar as razões e consequências de seu voto e escolha um ou outro lado. Há argumentos para defender qualquer dos dois. Mas que não são a mesma coisa, não são. E não porque num governo haverá fartura e noutro escassez, para pobres ou ricos. E sim porque em um haverá mais transparência e liberdade do que em outro. Menos controle policialesco, menos ingerência de forças partidário-sindicais. E menos corrupção, que, mais do que um propósito, é uma consequência.

## Segundo turno*

A campanha eleitoral termina sua primeira fase como se estivéssemos escolhendo entre duas ou três pessoas em razão de suas diferentes psicologias, grandes feitos, pequenas fragilidades pessoais ou o que mais seja. E não porque representam caminhos diversos para o país.

O governo de Lula e do PT se iniciou disposto a exercer o papel de renovador da política e da ética. Termina abraçado com a despolitização e o clientelismo. Ser pragmático é o que conta; ter bons índices de popularidade, aproveitar as águas calmas de um PIB em ascensão para distribuir benesses para todos os lados, fazer discursos inconsistentes, mesmo que chulos, para agradar cada audiência. E, sobretudo, criar muitas imagens, registrando desde o ridículo até o sublime. Lula na Bolsa se autodefinindo como sumo sacerdote do capitalismo financeiro global representou o coroamento de uma trajetória. Como se ações ricas em dividendos futuros brotassem de suas mãos escurecidas pelo petróleo, e não do esforço árduo de gerações de trabalhadores, técnicos e políticos para viabilizar a Petrobras como uma grande companhia, da qual todos nos orgulhamos.

---

* Originalmente publicado nos jornais *O Estado de S. Paulo* e *O Globo*, em 3 de outubro de 2010.

Por trás das máscaras dos candidatos, contudo, existem opções reais. Se elas se apresentam desfiguradas pelas técnicas mercadológicas, nem por isso deixam de representar distintas visões do país e interesses diversos. É por isso que, concorde ou não, o dia de hoje é marcante. Em primeiro lugar porque a despeito de o chefe da nação ter se comportado como um chefe de facção, chegando a falar em extermínio de adversários; apesar da massa de recursos mobilizada em propaganda direta ou indireta com as cornucópias públicas a jorrar rios de anúncios sobre grandes feitos; em que pese o personalismo imperial do presidente em sua verborreia incessante; não obstante tudo isso, com certeza pelo menos 40% dos eleitores não se dispõem a coonestar tal estado de coisas. E é pouco provável que os que ainda pendem para o outro lado alcancem hoje os 50% mais um dos votos válidos. A tentativa plebiscitária do "nós bons *versus* eles maus" não colou, a menos que se condene metade do país ao infortúnio de uma qualificação negativa perpétua.

Em segundo e principal lugar, o dia de hoje é importante porque abre um caminho para a convergência entre os que resistem ao rolo compressor do oficialismo (o PSDB com José Serra e o PV com Marina Silva). Temos em comum a recusa ao caminho personalista e autoritário. Rejeitamos a ideia de que esse caminho seja o único capaz de trazer progresso econômico e bem-estar social. Sabemos que, junto com o que de positivo possa haver sido alcançado nos últimos oito anos, houve também a penetração avassaladora de interesses partidários na administração pública.

Também nela penetraram os interesses de grandes empresas, fundos de pensão e sindicatos. São estes os atores que, em aliança oportunista, dão sustentação à ideia de que é o Estado o motor do crescimento econômico. Os que resistem ao rolo compressor acreditam que o antídoto para esses males é o fortalecimento das instituições, o respeito às regras legais e a afirmação de lideranças que não dividam o país entre "eles" — os maus — e "nós" — os bons.

Não é pouca coisa, portanto, o que está em jogo. Segundo o mantra oficial, a disputa política estaria resumida a dois blocos. No primeiro se encontram aqueles comprometidos com o interesse popular, com o bem-estar social e com a defesa dos interesses nacionais pelo Estado. No segundo, os moralistas, que só se preocupam com o mundo das leis e com a honestidade na política porque já estão bem na vida. Vencendo o primeiro, o povo se beneficiaria com a distribuição de renda, as bolsas, emprego abundante etc., e o país, com mais investimento e com a ação estatal para incentivar a economia. Vencendo o segundo, prevaleceriam os interesses dos que não olham para "o andar de baixo", na metáfora expressiva, embora incorreta, e podem se dar ao luxo de exigir formas corretas de conduta.

É preciso recusar essa visão distorcida do país. Na verdade, ele tem vários andares e um ou mais elevadores que sobem e descem. Há mobilidade social e mobilidade política. O que hoje pode ser visto como moralismo amanhã pode tornar-se aspiração de todos os andares. É esta a batalha a ser travada. Não denunciamos a corrupção, o clientelismo e a ineficiência por moralismo, mas sim para mostrar, em nome da justiça social, o quanto os andares de baixo perdem com a ineficiência, a corrupção e o clientelismo. Não aceitamos que os defensores do patrimônio público ou os que denunciam o abuso do poder político sejam, por isso, chamados de elitistas. Haverá mais, e não menos, inclusão social e desenvolvimento quanto mais eficiência houver no governo e decência, na vida pública.

A votação de hoje provavelmente nos levará ao segundo turno. Nele será indispensável mostrar que o PSDB não apenas foi decente como também fez muito pelo social quando foi governo. A começar pela estabilização, que é obra do nosso governo. Fez e está credenciado a fazê-lo novamente, junto com Marina Silva, porque sabe que não há desenvolvimento de longo prazo sem sustentação ambiental.

Sem se arvorar a ser o único portador desses valores, é isso que Serra representa: a recusa da confusão entre malandragem e proximidade com o povo, entre abuso estatal no controle da economia e ação vigorosa do governo no manejo das políticas econômicas e sociais. O dia é hoje, a hora é agora para começar a construir um futuro melhor: o país merece um segundo turno no qual o confronto aberto entre os contendores dê aos eleitores a oportunidade de ver as diferenças entre os caminhos propostos, encobertas até aqui pela rigidez das máscaras mercadológicas.

## Lunetas novas?*

A abertura da economia no início dos anos 1990, depois das crises do petróleo e ainda em meio ao longo processo inflacionário que se seguiu, não desencalhou o barco de nossa economia. Os mares do mundo batiam no casco, mas ele continuava adernado. Só depois de controlarmos a inflação, quando eu ainda era ministro da Fazenda do governo Itamar Franco, e depois que saneamos os ralos que corroíam as finanças públicas, e levantamos as âncoras que nos mantinham estagnados — com a atração de capital privado para setores antes monopolizados pelo Estado — é que o navio começou a andar. No começo timidamente, usufruindo as benesses de uma base agrícola poderosa e de uma indústria criada no passado.

Com a volta dos capitais e dos investimentos, começamos a navegar com maior desenvoltura. Por exemplo: em 1995 havia montadoras de veículos somente em São Paulo e Minas; em 2002, não só estas haviam aumentado a produção como também outras haviam se espalhado pelo país, no Rio Grande do Sul, no Paraná, no Rio de Janeiro, em Goiás e na Bahia. Outro exemplo: em 1995, a Petrobras

* Originalmente publicado nos jornais *O Estado de S. Paulo* e *O Globo*, em 7 de novembro de 2010.

não chegava a produzir 700 mil barris/dia; em 2002, ultrapassou 1,5 milhão de barris. E assim por diante, sem esquecer a expansão das telecomunicações, da indústria aeronáutica ou mesmo da indústria naval, que começou a tomar ímpeto em 1999 com a encomenda de 22 navios pela Petrobras.

Daí em diante nossa economia não parou de crescer, apesar das crises financeiras que só deixaram de nos golpear em 1996 e em 2000. No período presidencial seguinte, o crescimento se acelerou. Não apenas porque o barco se tornou mais potente, uma vez mantido o rumo anteriormente traçado, mas também porque as águas do mar se encheram, pela bonança internacional entre 2003 e 2008. Junto com o crescimento, deu-se a redução da pobreza. O efeito estabilizador do Plano Real reduziu a proporção de pobres de 40% para cerca de 30% da população total. No período presidencial seguinte, nova redução, para aproximadamente 20%. A redução da pobreza não foi resultado automático do crescimento. Políticas também foram adotadas com esse fim. Exemplo: o aumento real do salário mínimo, de 48% entre 1995 e 2002 e de 60% nos oito anos posteriores.

Em mares de almirante, com vento a favor, todos os barcos passaram a andar com velocidade maior. Medido pelo aumento da renda *per capita*, andamos relativamente para trás: ocupávamos a 68ª posição no mundo na década anterior e nesta retrocedemos à 72ª.

Mas o atual comandante do barco, embriagado pelos êxitos, confundiu-se: atribuiu a si o aumento do nível das águas. Pior, conseguiu convencer os marinheiros de que fazia milagre e se tornou um mito. Agora, mais grisalho e quase aposentado, deixa o leme para uma companheira fiel. E será ela quem precisará usar lunetas para ver mais longe. Haverá tempestades ou bonança? Em qualquer caso, como anda o casco do navio? Que fazer para repará-lo? Ou para melhorar o desempenho do navio? Poderá continuar avançando sozinha ou dará a mão aos demais marinheiros? E as máquinas, seguirão a todo vapor sem algum ajuste ou será melhor evitar que a pressão as faça estourar? Acirrará ânimos e seguirá em frente até bater nalgum rochedo, ou será previdente e ouvirá outras vozes que não sejam as das estrelas? São questões cujas respostas estão em aberto.

E há outras perguntas, de ordem estratégica, que precisarão ser respondidas. Para começar, como será o mundo dos próximos vinte anos? Tudo indica que nele as economias emergentes, e especialmente as dos Brics, ocuparão maior espaço. Mas qual desses países crescerá mais depressa? China e Índia são, neste caso, nossos competidores mais diretos, embora haja também complementaridades entre nossas economias. Estaremos condenados a, pouco a pouco, voltar à condição de provedores de alimentos e de matérias-primas para os países-monstros, que têm territórios com pouca possibilidade de expansão agrícola? Não necessariamente. Mas para evitar esse destino teremos de definir políticas que aumentem a nossa capacidade de inovar e competir. Não só na área fiscal, não só na tributária e na trabalhista, mas também na de educação, ciência e tecnologia. Sem isso, será difícil ter uma indústria globalmente competitiva.

Em 2030, deveremos ter uma população em idade ativa da ordem de 150 milhões de pessoas. Sem uma indústria com musculatura e cérebro para enfrentar a competição global, será impossível gerar empregos na qualidade e quantidade de que necessitamos. Sem os empregos e a renda necessários, o país corre o risco de se tornar velho antes de ficar rico. Precisamos aproveitar a nossa janela de oportunidade demográfica, que se fechará a partir de 2030, para dar um salto em nossa capacidade de produção de riquezas. E para melhor distribuí-las também. E isso depende mais de uma verdadeira revolução educacional do que da expansão da Bolsa Família e de outros programas assistenciais.

Como compatibilizar as necessárias taxas de crescimento da economia com os indispensáveis requisitos de respeito ao meio ambiente, de combate ao aquecimento global e assim por diante? Estaremos dispostos a pensar com maior profundidade sobre como conservar certa matriz energética que utiliza fontes renováveis? Neste contexto e atentos às questões de custos para o país, introduziremos maior racionalidade na discussão do pré-sal ou continuaremos a fingir que se trata de um Fla-Flu entre "patriotas" e "entreguistas"?

Por fim, nunca é demais lembrar: que papel o Brasil jogará no mundo, continuaremos indiferentes diante de vários autoritarismos e desrespeitos aos direitos humanos, ou nos comprometeremos crescentemente com formas democráticas de convívio? Quem viver verá. No entretempo, é melhor manter um otimismo cauteloso e, sem embarcar em ufanismos enganosos, acreditar que a vitalidade dos brasileiros (vista uma vez mais na reafirmação democrática do pluralismo eleitoral recente) nos levará a melhores rumos.

# 2011

## Tempo de muda*

Novo ano, nova presidente, novo Congresso atuando no Brasil de sempre, com seus êxitos, suas lacunas e suas aspirações. Tempo de muda, palavra que no dicionário se refere à troca de animais cansados por outros mais bem-dispostos, ou de plantas que dos vasos em viveiro vão florescer em terra firme. Bem que estamos precisando de uma renovação em muitos aspectos e nela há lugar para todos, governo, oposição, sociedade em geral, empresas, sindicatos etc.

A presidente exibe um estilo diferente do antecessor. Mais discreta, com menos loquacidade retórica, parece mais sóbria e menos apaixonada, parece ter percebido, sem reconhecer, que herança braba foi a que recebeu. Nem bem assume e seus porta-vozes econômicos já têm que apelar às mágicas antigas (quanto foi malfalado o doutor Delfim, que nadava de braçada nos arabescos contábeis para esconder o que todos sabiam!), porque a situação fiscal se agravou. Até os mercados, que só descobrem estas coisas quando está tudo por um fio, perceberam. Mesmo os "velhos bobos ortodoxos do FMI", no linguajar descontraído do ministro da Fazenda, deram-se conta de que algo anda mal.

---

* Originalmente publicado nos jornais *O Estado de S. Paulo* e *O Globo*, em 6 de fevereiro de 2011.

O fato é que, seja no reconhecimento mal disfarçado da necessidade de um ajuste fiscal, seja no alerta quanto ao cheiro de fumaça na compra, a toque de caixa, dos jatos franceses, seja nas tiradas sobre os até há pouco tempo esquecidos direitos humanos, há sinais de mudança. Os pelegos aliados do governo que enfiem a viola no saco, pois os déficits deverão falar mais alto do que as benesses que solidarizaram o governo Lula com o mundo sindical. Aos novos sinais se contrapõem os amores antigos: Belo Monte há de vir à luz por cesariana, esquecendo as preocupações com o meio ambiente e com o cumprimento dos requisitos legais; as alianças com os partidos da governabilidade continuarão a custar caro no Congresso e nos ministérios, sem falar no segundo escalão, cujas joias mais vistosas, como Furnas (está longe de ser a única), já são objeto de ameaças de rapto e retaliação.

Diante de tudo isso, como fica a oposição?

Digamos que ela quer ser elevada e não quer sujar as mãos (ou a língua) nas sujeiras do cotidiano nem confundir crítica ao que está errado com oposição ao país (preocupação que os petistas nunca tiveram quando estávamos nós no governo). Ainda assim há muito a fazer para corresponder à fase de muda, a começar pela crítica à falta de estratégia para o país: que faremos para enfrentar a China (reconhecendo seu papel estratégico e o que de mais valioso podemos aprender com ela)? Não basta jogar a culpa da baixa competitividade nas altas taxas de juro. Olhando para o futuro, teremos de escolher com quais produtos poderemos competir com China, Índia, asiáticos em geral,

EUA etc., e provavelmente serão os de alta tecnologia, sem esquecer que os agrícolas e os minerais também requerem tal tipo de conhecimento. Preparamo-nos para a inovação necessária? Reorientamos nosso sistema escolar nesta direção? Como investir em novas e nas antigas áreas produtivas sem poupança interna? No governo anterior os interesses do Brasil pareciam submergir nos limites do antigo terceiro mundo, guiados pela retórica do Sul-Sul, esquecidos de que a China é Norte e nós, mais ou menos. Definimos os Estados Unidos como o outro lado e, de repente, a China posa, com razão, naquele lado. Que faremos para mudar este quadro e assegurar o interesse nacional sem guiarmo-nos por ideologias arcaicas?

Há outros objetivos estratégicos; por exemplo, no caso da energia: aproveitaremos de fato as vantagens do etanol, criaremos uma indústria alcoolquímica, usaremos a energia eólica mais intensamente? Ou, noutro plano, por que tanta pressa para capitalizar a Petrobras e endividar o Tesouro com o pré-sal em momento de agrura fiscal?

As jazidas do pré-sal são importantes, mas não poderíamos ter uma estratégia mais clara sobre como e quando aproveitá-las? O regime de partilha é mesmo mais vantajoso? O governo Lula sonegava à população o debate sobre o futuro desse recurso natural. O caminho a ser seguido era definido em surdina, nos gabinetes governamentais e nas grandes empresas. Tudo se apresentava posteriormente na marcha batida dos projetos/impactos como nos governos do período autoritário, tipo trem-bala, PACs variáveis, usinas hidroelétricas de custo indefinido e serventia pouco demonstrada. Está na hora de a oposição berrar e pedir a democratização das decisões, submetendo-as ao debate público.

Não basta isso, entretanto, para a oposição atuar de modo efetivo. Há que mexer no desagradável: não dá para calar diante de a Caixa Econômica ter se associado a um banco já falido que agora é salvo pelos mecanismos do Proer e assemelhados. E não foi só lá que o dinheiro dos contribuintes escapou pelos ralos para subsidiar grandes empresas nacionais e estrangeiras. Não será tempo de esquadrinhar a fundo a compra dos aviões? E o montante da dívida interna, que ultrapassa R$ 1,6 trilhão, não empana o feito da redução da dívida externa? E dá para esquecer dos cartões corporativos que, de modo pouco claro, foram tornados "de interesse da segurança nacional" até o final do governo Lula para esconder os gastos dele? Não cobraremos agora a transparência? E o ritmo das obras de infraestrutura, prejudicado pelo preconceito ideológico contra a associação do público com o privado, contra a privatização necessária em casos específicos, passará como se fosse contingência natural? Ou as responsabilidades pelos atrasos nas obras serão cobradas? Por que não começar com as da Copa, libertas de licitação e mesmo assim dormindo em berço esplêndido?

Há sim muita coisa para dizer nesta hora de muda. Ou a oposição fala e esbraveja, sem se perder em questiúnculas internas, ou tudo ficará igual no quartel de Abrantes, como diziam os portugueses, mesmo porque, por mais que haja nuances, o governo do PT é um só, Lula-Dilma, ao qual se subordinam ávidos aliados.

## Silêncios que falam*

Desde quando vivi de muito perto a experiência da revolta dos estudantes de maio de 1968 em Paris, comecei a duvidar das teorias que aprendera sobre as mudanças sociais no mundo capitalista. Estas estavam baseadas na visão da história como uma sucessão de lutas entre as classes sociais visando ao controle do Estado para, por intermédio dele, manter a dominação de classes ou destruir todas elas e construir a *sociedade do futuro*, sem classes e, portanto, sem que os partidos tivessem função relevante. Essa sociedade seria crucial, na visão dos revolucionários do século XX de inspiração leninista, mas apenas na transição, quando se justificaria até mesmo a ditadura do proletariado, exercida pelo partido.

Pois bem, nas greves estudantis da Universidade de Paris, em Nanterre e na Sorbonne (assim como nos campos universitários americanos, com outras motivações) que acabaram por contaminar a França inteira e repercutiram pelo mundo afora, vi, perplexo, que as palavras de ordem não falavam em anti-imperialismo e só remotamente

---

* Originalmente publicado nos jornais *O Estado de S. Paulo* e *O Globo*, em 6 de março de 2011.

mencionavam os trabalhadores, mesmo quando estes, atônitos, entravam nos auditórios estudantis ocupados pelos ativistas jovens. Falava-se em liberdade, em ser proibido proibir, em amor livre, em valorizar o indivíduo contra o peso das instituições burocratizadas e assim por diante. É verdade que nas passeatas havia bandeiras negras (dos velhos anarquistas) e vermelhas (dos bolcheviques). Faltavam os símbolos do novo, e mais, na confusão ideológica geral, pouco se sabia sobre o que seria novo nas sociedades, isto é, nas estruturas sociais do futuro. Por outro lado, o estopim da revolta não foram as greves trabalhistas, que ocorreram depois, nem choques no plano institucional, mas pequenos grandes anseios de jovens universitários que, como em um curto-circuito, incendiaram o conjunto do país.

Só que, logo depois, de Gaulle, vendo seu poder posto à prova, foi buscar apoio nos paraquedistas franceses sediados na Alemanha e, com a cumplicidade do Partido Comunista, restabeleceu a antiga e "boa" norma. Por que escrevo estas reminiscências? Porque desde então o mundo mudou muito, principalmente com a revolução informática. Crescentemente as ordens estabelecidas desmoronam sem que se perceba a luta entre as classes. Foi assim com o desmoronamento do mundo soviético, simbolizado pela queda do muro de Berlim. Está sendo assim hoje no Norte da África e no Oriente Médio. Cada vez mais, em silêncio, as pessoas se comunicam, murmuram e, de repente, mobilizam-se para "mudar as coisas". Neste processo, as novas tecnologias da comunicação desempenham papel essencial.

Até agora, ficaram duas lições. Uma delas é que as ordens sociais no mundo moderno podem se desfazer por meios surpreendentes para quem olha as coisas pelo prisma antigo. A palavra, transmitida a distância, a partir da soma de impulsos que parecem ser individuais, ganha uma força sem precedentes. Não se trata do panfleto ou do discurso revolucionário antigo e nem mesmo de palavras de ordem, mas de reações racionais/emocionais de indivíduos. Aparentemente isolados, estão na verdade conectados com o clima do mundo circundante e ligados entre si por intermédio de redes de comunicação que se fazem, desfazem e refazem, ao sabor dos momentos, das motivações e das circunstâncias. Um mundo que parecia ser basicamente individualista e regulado pela força dos poderosos ou do mercado, de repente mostra que há valores de coesão e solidariedade social que ultrapassam as fronteiras do permitido. Mas ficou também outra lição: a reconstrução da ordem depende de formas organizacionais, de lideranças e de vontades políticas que se expressem de modo a apontar um caminho. Na ausência delas, volta-se ao antigo — caso de Gaulle — ou, na iminência da desordem generalizada, há sempre a possibilidade de um grupo coeso e nem sempre democrático prevalecer sobre o impulso libertário inicial. Noutros termos: recoloca-se a importância da pregação democrática, da aceitação da diversidade, do direito do outro.

Talvez seja este o enigma a ser decifrado pelas correntes que desejem ser *progressistas* ou *de esquerda*. Enquanto não atinarem ao *novo* nas circunstâncias atuais — que supõe, entre outras coisas, a reconstrução do ideal democrático à base da participação ampliada nos circuitos de comunicação para forçar maior igualdade —, não contribuirão para que a cada surto de vitalidade em sociedades tradicionais e autocráticas surjam de fato formas novas de convivência política. Agora mesmo, com as transformações no mundo islâmico é hora de apoiar alto e bom som os germens de modernização, em vez de guardar um silêncio comprometedor. Ou, pior, quebrá-lo para defender o indefensável, como Hugo Chávez ao dizer "que me conste, Khadafi não é assassino". Ou como Lula, que, antes, o chamou de "líder e irmão"! Para não falar dos intelectuais *de esquerda* que ainda ontem, quando eu estava no governo, viam em tudo que era modernização ou integração às regras internacionais da economia um ato neoliberal de "vende-pátria". Exigiam apoio a Cuba, apoio que não neguei contra o injusto embargo à ilha, mas que não me levou a defender a violação de direitos humanos. Será que não se dão conta que é graças ao maior intercâmbio com o mundo — e principalmente com o mundo ocidental — que hoje as populações do Norte da África e do Oriente Médio passam a ver nos valores da democracia caminhos para se libertarem da opressão? Será que vão continuar fingindo que o *Sul*, nacionalista autoritário, é o maior aliado de nosso desenvolvimento, quando o governo petista busca, também, maior e melhor integração do Brasil à economia global e ao sistema internacional, sem sacrifício dos nossos valores mais caros?

Há silêncios que falam, murmuram, contra a opressão. Mas há também silêncios que não falam porque estão comprometidos com uma visão que aceita a opressão. Não vejo como alguém possa se imaginar *de esquerda* ou *progressista* calando no momento em que se deve gritar pela liberdade.

## Um novo Brasil*

Décadas atrás havia uma discussão sobre a *modernização* do Brasil. Correntes mais dogmáticas da esquerda denunciavam os modernizadores como gente que acreditava ser possível transformar o país saltando a revolução socialista. Com o passar do tempo, quase todos se esqueceram das velhas polêmicas e passaram a se orgulhar das grandes transformações ocorridas. Até mesmo pertencermos aos *Brics*, a marca criada em 1999 pelo banco Goldman Sachs, passou a ser motivo de orgulho dos dirigentes petistas: finalmente somos uma economia emergente!

Na verdade, o Brasil é mais do que uma *economia emergente* é uma *sociedade emergente* ou, para usar o título do livro de Albert Fishlow, que analisa bem o que aconteceu nas últimas décadas: somos um novo país. Para entender as dificuldades políticas que foram transpostas para acelerar estas transformações basta ler a primeira parte de um livrinho que tem o instigante título *Memórias de um soldado de milícias*, escrito por Luiz Alfredo Raposo e publicado este ano em São Luís do Maranhão.

---

* Originalmente publicado nos jornais *O Estado de S. Paulo* e *O Globo*, em 1º de maio de 2011.

Embora os livros comecem a registrar o que é este novo Brasil — e há outros, além dos que mencionei —, o senso comum, especialmente entre os militantes ou representantes dos partidos políticos e seus ideólogos, ainda não se deu conta por completo dessas transformações e de suas consequências.

Os fundamentos deste novo país começaram a se constituir a partir das greves operárias do fim da década de 1970 e da campanha das Diretas Já, que conduziram à Constituição de 1988. Este foi o marco inicial do novo Brasil: direitos assegurados, desenho de um Estado visando a aumentar o bem-estar do povo, sociedade civil mais organizada e demandante, enfim, liberdade e comprometimento social. Havia na Constituição, é certo, entraves que prendiam o desenvolvimento econômico a monopólios e ingerências estatais. Sucessivas emendas constitucionais foram aliviando essas amarras, sem enfraquecer a ação estatal, mas abrindo espaço à competição, à regulação e à diversificação do mundo empresarial.

O segundo grande passo para a modernização do país foi dado pela abertura da economia. Contrariando a percepção acanhada de que a globalização mataria nossa indústria e espoliaria nossas riquezas, houve a redução de tarifas e diminuição dos entraves ao fluxo de capitais. Novamente os *dogmáticos* (lamento dizer, PT e presidente Lula à frente) previram a catástrofe que não ocorreu: sucateamento da indústria, desnacionalização da economia, desemprego em massa e assim por diante. Passamos pelo teste: o BNDES atuou corretamente para apoiar a modernização de setores-chave da economia, as privatizações não deram ensejo a monopólios privados e mantiveram boa parte do sistema produtivo sob controle nacional, seja pelo setor privado, seja pelo Estado, ou em conjunto. Houve expansão da oferta e democratização do acesso a serviços públicos.

O terceiro passo foi o Plano Real e a vitória sobre a inflação, não sem enormes dificuldades e incompreensões políticas. Juntamente com a reorganização das finanças públicas, com o saneamento do sistema financeiro e com a adoção de regras para o uso do dinheiro público e o manejo da política econômica, a estabilização permitiu o desenvolvimento de um mercado de capitais dinâmico, bem regulado, e a criação das bases para a expansão do crédito.

Por fim, mas em nada menos importante, deu-se consequente prática às demandas sociais refletidas na Constituição. Foram ativadas as políticas sociais universais (educação, saúde e Previdência) e as focalizadas: a reforma agrária e os mecanismos de transferência direta de rendas, entre eles as bolsas, a primeira das quais foi a Bolsa-Escola, substituída pela Bolsa Família. Ao mesmo tempo, desde 1993 houve significativo aumento real do salário mínimo (de 44% no governo do PSDB e de 48% no de Lula).

Os resultados veem-se agora: aumento de consumo das camadas populares, enriquecimento generalizado, multiplicação de empresas e das oportunidades de investimento, tanto em áreas tradicionais quanto em áreas novas.

Inegavelmente, recebemos também um impulso *de fora*, com o boom da economia internacional de 2004/2008 e, sobretudo, com a entrada vigorosa da China no mercado de commodities.

Por trás desse novo Brasil está o *espírito de empresa*. A aceitação do risco, da competitividade, do mérito, da avaliação de resultados. O esforço individual e coletivo, a convicção de que sem estudo não se avança e de que é preciso ter regras que regulem a economia e a vida em sociedade. O respeito à lei, aos contratos, às liberdades individuais e coletivas fazem parte desse novo Brasil. O espírito de empresa não se resume ao mercado ou à empresa privada. Ele abrange vários setores da vida e da sociedade. Uma empresa estatal quando o possui deixa de ser uma repartição pública, na qual o burocratismo e os privilégios políticos, com clientelismo e corrupção, freiam seu crescimento. Uma ONG pode possuir esse mesmo espírito, assim como os partidos deveriam possuí-lo. E não se creia que ele dispense o sentimento de coesão social, de solidariedade: o mundo moderno não aceita o "cada um por si e Deus por ninguém". O mesmo espírito deve reger os programas e ações sociais do governo na busca da melhoria da condição de vida dos cidadãos.

Foi para isso que apontei em meu artigo na revista *Interesse Nacional*, que tanto debate suscitou, às vezes a partir de leituras equivocadas e mesmo de má-fé. É inegável que há espaço para as oposições firmarem o pé neste novo Brasil. Ele está entre os setores populares e médios que escapam do clientelismo estatal, que têm independência para criticar o que há de velho nas bases políticas do governo e em muito de suas práticas, como a ingerência política na escolha dos *campeões da globalização*, o favorecimento de setores econômicos *amigos*, a resistência à cooperação com o setor privado nos investimentos de infraestrutura, além da eventual tibieza no controle da inflação, que pode cortar as aspirações de consumo das classes emergentes. Para ocupar esse espaço, entretanto, é preciso que também as oposições se invistam do espírito novo e sejam capazes de representar este novo Brasil, tão distante do pequeno e às vezes mesquinho dia a dia da política congressual.

## Novos desafios*

Passados os momentos de euforia por havermos ingressado no clube dos que tomam decisões no mundo (e não nos esqueçamos que o G-20 começou como encontro entre ministros da Fazenda quando Pedro Malan ainda exercia a função), começam as dores de cabeça e as indefinições criadas pela nova situação. Se a estas juntarmos as advindas da política doméstica, não são poucos os enigmas e incertezas que temos pela frente.

O mundo se está reordenando. A liderança norte-americana, com Obama, evita a arrogância e começa a aceitar novas parcerias. Ainda agora, ao proclamar que a melhora de posição dos Brics e demais países emergentes não põe em perigo a predominância anglo-saxã, não disse isso como ameaça, mas como conselho aos seus: não temam o que está surgindo porque surgirá de qualquer modo e é melhor ter aliados do que inventar inimigos. Diante dos novos atores políticos no norte da África e no Oriente Médio, a atitude americana está sendo marcada por um encorajamento democrático discreto como há tempos não víamos. É cedo para saber até onde irá este bafejo de

---

* Originalmente publicado nos jornais *O Estado de S. Paulo* e *O Globo*, em 6 de junho de 2011.

idealismo pragmático e também para ver até que ponto evoluirá a situação dos países recém-ansiosos por liberalização.

De qualquer modo, a situação internacional é distinta daquela aterradora da era Bush. O que não quer dizer que o futuro será melhor. Depende de muita coisa: de os Estados Unidos superarem a crise financeira, pois o desemprego continua enorme e o gasto público, descontrolado; de a Europa mostrar ser capaz de suportar as agruras de uma austeridade germânica sem romper a coesão social produzida pelo modelo democrático e próspero sonhado pela União Europeia; de a China continuar a crescer e dar pitadas de bem-estar ao povo. Mesmo que tudo isso se realize da melhor maneira, sobram dúvidas. Que farão Estados Unidos e China, gigantes em comparação com as demais economias e estados em expansão, jogarão como um duo gestor do mundo? Haverá um G-2 com suas economias complementares impondo seus interesses ao conjunto do planeta? Ou então, Estados Unidos e Europa imporão seu predomínio, como tentam fazer agora na sucessão do FMI? E nós nisso tudo?

As incertezas pesam e tornam necessárias estratégias de convergência doméstica e lucidez para organizar alianças internacionais. Dado o caráter dos interesses globais que ora unem, ora repelem alianças entre os três grandes, o necessário é que participemos da grande cena mundial sem ilusões ideológicas e com muita coesão interna. Para tanto precisamos de uma estratégia consensual e de determinação política. Estratégia consensual não é um *projeto nacional*, expressão que, em geral, significa o Estado conduzindo o povo para objetivos definidos por um partido ou um grupo de ideólogos. Não é disso que precisamos, mas de um consenso enraizado na sociedade sobre questões decisivas, sem supor adesão a governos nem oposições aquietadas.

Com a globalização, os condicionantes geográficos não nos limitam como no passado. Não há por que nos cingirmos ao *Ocidente*, ao Hemisfério ou mesmo à América do Sul. Mas temos outros condicionantes. A demografia impõe-nos desafios com o crescimento da população adulta e idosa. Há que criar empregos de qualidade para sustentar tal tipo de população. É certo também que aprendemos a amar a liberdade e a desejar uma sociedade com crescente participação de todos no bem-estar e nas decisões. Por fim, os imperativos de preservação do meio ambiente e da criação de uma economia baseada em energias de baixo consumo de carbono são onipresentes.

Não adianta, pois, sonhar com o estilo chinês de crescimento: o afã de liberdade e consumo impede tal proeza. Nem imaginar que a expansão econômica baseada na exportação de minérios e produtos alimentícios gerará, por si só, a quantidade e a qualidade de valor agregado necessário para distribuir melhor o bolo, que é o que queremos. Tampouco faz sentido limitarmos nossas alianças a este ou àquele parceiro: elas deverão se realizar com quem nos ofereça vantagens de conhecimento (tecnológico, científico, organizacional) e que permita apropriarmo-nos do que de melhor há no mundo. É imperativo inovar, não abrir mão da indústria e oferecer serviços em quantidade e qualidade em saúde, educação, transportes, finanças etc. Aproveitar, mas ir além do que as commodities nos permitem alcançar. Nosso caminho será o da democracia. Ela não é um obstáculo. É parte inseparável do desenvolvimento, como valor e como *método*. Por isso é preciso aumentar a transparência das decisões e debater com o país os passos decisivos para o futuro.

É aí que pecamos. Desde o governo Lula, à moda do autoritarismo militar, as decisões fundamentais são tomadas sem debate pelo Congresso e pelo país (mudança da lei do petróleo; decisões na política energética, especialmente na nuclear; reaparelhamento militar; falta de decisões sobre a infraestrutura por medo das privatizações ou, pior, decisões com abuso de subsídios, como no caso do trem-bala).

Quando o governo da presidente Dilma parecia dar passos certos para ajustar a política internacional e começava a permitir que o debate sobre as grandes questões nacionais se deslocasse do plano miúdo das divergências eleitorais, vem de novo *seu Mestre* (que prometera ficar calado como ex-presidente) e joga em solo corriqueiro as questões políticas. Em vez de se preocupar com a veracidade do que transpareceu, acusa irresponsavelmente o PSDB pelo vazamento de informações relativas à evolução patrimonial do principal ministro do governo. E passa a operar a disputa por cargos e troca de votos no Congresso, ofuscando sua sucessora. Em vez de um passo à frente, deu mais um passo atrás no amadurecimento da sociedade e da política, que volta a se apequenar no jogo rasteiro de chantagens e pressões. No lugar de o líder sustentar valores, temos o retorno da metamorfose ambulante operando com o costumeiro desdém aos princípios.

Assim será difícil uma nação com tantas virtudes alcançar a maturidade que as condições materiais começam a tornar possível. É preciso lideranças à altura, se quisermos jogar na grande cena mundial. Presidente Dilma: não desperdice sua chance!

# A soma e o resto*

Tomo de empréstimo o título de um livro de Henri Lefebvre, escritor francês que rompeu com o Partido Comunista em 1958 e publicou suas razões para tanto neste livro de 1959. Anos mais tarde, em 1967/1968, fui colega de Lefebvre em Nanterre quando demos início, junto com Alain Touraine, Michel Crozier e com o então quase adolescente Manuel Castells a uma experiência de renovação da velha Sorbonne, na área das ciências humanas. Sempre gostei do título do livro de Lefebvre e agora, ao escrever estas linhas — sem qualquer pretensão a devaneios psicanalíticos —, me recordo também que Lefebvre tinha uma grande semelhança física com meu pai. Mas o fato é que há momentos para fazer um balanço. No caso, Lefebvre descontava o que o Partido Comunista lhe tirara, ou o que ele tirara do Partido, e via o que sobrava: a experiência dramática das revelações que Kruschev fizera dos horrores stalinistas somada à invasão da Hungria provocaram uma remexida crítica na intelectualidade europeia, que não deixou de afetar a intelectualidade brasileira e a mim próprio.

---

* Originalmente publicado nos jornais *O Estado de S. Paulo* e *O Globo*, em 3 de julho de 2011.

Hoje, ao completar oitenta anos, diante do fato inescapável de que o tempo vai passando e às vezes não deixa pedra sobre pedra, eu, que não sou dado a balanços de mim mesmo (e nem dos outros), senti certa comichão para ver o que resta a fazer e a soma das coisas que andei fazendo. Mas não se assuste o leitor: o espaço de uma crônica não dá para arrolar o esforço de oito décadas para tentar construir algo na vida, quanto mais para listar o muito de errado que fiz, que pode superar as pedras que eventualmente ficaram em pé. Além do mais, prefiro olhar para a frente a mirar para trás. Quando algum repórter me pergunta o que acho que ficará de mim na História, costumo dizer, com o realismo de quem é familiarizado com ela, que daqui a cem anos provavelmente nada, talvez um traço dizendo que fui presidente do Brasil de 1995 a 2003. Quando insistem em que fiz isso ou aquilo, outra vez meu realismo — não pessimismo nem hipocrisia de modéstia — pondera que, no transcorrer da história, quem sobra nela é visto e revisto pelos pósteros ora de modo positivo, ora negativo, dependendo da atmosfera reinante e da tendência de quem revê os acontecimentos passados. Portanto, melhor não nos deixarmos embalar pela ilusão de que há pedras que ficam e que serão sempre laudadas. Além do mais, dito com um pouco de ironia, se o julgamento que vale para os homens políticos e mesmo para os intelectuais é o da História, de que serve o que digam de nós depois de mortos?

Pois bem, se é assim, se o que vale é o agora, não tenho palavras para agradecer a tantos, e foram muitos, os que se referiram a mim com generosidade neste passado mês de junho. Mesmo sabendo, repito, da efemeridade dos juízos, é bom escutar pessoas próximas, não tão próximas e mesmo distanciadas por divergências procurarem ver mais o lado bom, quando não apenas ele, e expressarem opiniões que me deixaram lisonjeado e, a despeito de meu realismo, quase embalado na ilusão de que fiz mais do que penso ter feito. Como não posso agradecer a cada um pessoalmente, nem desejo deixar de lado alguém nem os muitos que me disseram pessoalmente palavras de estímulo ou as registraram por cartas, e-mails ou na web, aproveito esta página de jornal para reiterar que não sei como exprimir o quanto a solidariedade dos contemporâneos me emocionou.

Não posso me queixar da vida. Vivi a maior parte do tempo dias alegres, mesmo que muitas vezes tensos. Assim como senti as perdas que fazem parte de sobreviver. Perdi muita gente próxima ou que admirava a distância nestes oitenta anos. Pais, irmãos, mulher, amigos, amigas, companheiros de vida acadêmica e política. Ainda agora, para que nem tudo fossem rosas, perdi às vésperas de meu aniversário um companheiro de universidade com quem convivi cerca de cinquenta anos, Juarez Brandão Lopes. E no momento em que escrevo estas linhas veio a notícia da morte de Paulo Renato Souza, companheiro, colaborador, grande ministro da Educação, colega de exílio. As perdas, para quem está vivo, são relativas. Aprendi a conviver na memória com as pessoas queridas e mesmo com algumas mais distantes com as quais "converso" vez por outra no imaginário para reposicionar o que penso ou digo. Tomo em conta o que diriam os que não estão mais por aqui, mas deixaram marcas profundas em mim. Na soma, não cabe dúvida, mantive mais amigos que adversários. Não sinto rancor por ninguém, talvez até por uma característica psicológica, pois esqueço logo as coisas de que não gosto e procuro me lembrar das que gosto e pelas quais tenho apego.

Por fim, para não escrever uma página muito "água com açúcar", se me conforta ter tantos amigos e receber deles tanto apoio e se prezo a amizade acima de quase tudo, devo confessar que apesar de meu pendor intelectual ser forte, no fundo, sou um *homo politicus*. Herdado de meus pais e de algumas gerações de ancestrais, vivo a vida na tecla do serviço ao público, da *pólis*, e para mim o público hoje não é apenas o brasileiro, mas tem uma dimensão global. Pode parecer coisa de velho, mas o fato é que a esta altura da vida estou convencido, sem prejuízo das crenças partidárias e ideológicas, de que cada vez mais, como humanidade, como cidadão e como seres nacionais, simultaneamente, estamos nos aproximando de uma época na qual ou encontramos alguns pontos de convergência, uma estratégia comum para a sobrevivência da vida no planeta e para a melhoria da condição de vida dos mais pobres em cada país, ou haverá riscos efetivos de rupturas no equilíbrio ecológico e no tecido social.

Não é o caso de especificar as questões neste momento. Mas cabe deixar uma palavra de advertência e de otimismo:

é difícil buscar caminhos que permitam, em alguns temas, uma marcha em comum, mas não é impossível. Tentemos. Vi tanta boa vontade ao redor de mim nestas últimas semanas que a melhor maneira de retribuir é dizendo: espero poder ajudar a todos e a cada um a sermos mais felizes e dispormos de melhores condições de vida. Guardarei as armas do interesse pessoal, partidário ou mesmo dos egoísmos nacionais sempre que vislumbrar uma estratégia de convergência que permita dias melhores no futuro. Com confiança e determinação, eles poderão vir.

# Davi e Golias*

A propósito do atual dilema norte-americano, a secretária de Estado, Hillary Clinton, disse que pela primeira vez em muito tempo não havia um abismo tão grande entre poder, economia e sociedade. Pode parecer banal, mas não é: nos Estados Unidos, o *ideal americano* dava solidez para um caminho em comum para o país. Havia tensões, tendências mais progressistas chocavam-se com outras mais conservadoras, o grande *business* sempre quis controlar mais de perto o governo, os governos se inclinavam para atender aos reclamos das maiorias ou assumiam a cara mais circunspecta de quem ouve as ponderações da ordem, da econômica em primeiro lugar. Mas, bem ou mal, liberdade, democracia, prosperidade e ação pública caminhavam mais ou menos em conjunto.

E agora? — poderia perguntar perplexa a secretária de Estado. Agora — digo eu —, parece que as classes médias e os mais pobres querem gasto público maior e emprego mais abundante, os conservadores querem ortodoxia fiscal sem aumento de impostos, os muito ricos pouco se incomodam com o gasto social reduzido, desde

* Originalmente publicado nos jornais *O Estado de S. Paulo* e *O Globo*, em 7 de agosto de 2011.

que a propriedade de cada um continue intocável. No meio de tudo isso, a crise provocada pelo cassino financeiro surgiu como um terremoto.

Logo depois, veio o marasmo da semiestagnação e, pior ainda, desenha-se o que havia pouco era impensável: a moratória do país mais rico do mundo! Por trás da peleja econômica corre a outra, mais profunda, a do poder: o Tea Party — os ultrarreacionários do Partido Republicano — levou o governo Obama às cordas. A agenda política, mesmo depois de "resolvida" a questão do endividamento, passou a ser ditada por eles: onde e quanto cortar mais no orçamento de um país que clama por muletas para reavivar a economia.

Na Europa as coisas não andam melhores. Cada solavanco da economia norte-americana aumenta o contágio, esta doença internética: as taxas de juros cobrados dos países ultraendividados vão para as nuvens. A rua se agita, não faltam movimentos dos *indignados* que veem o povo sofrer as agruras do desemprego e da desesperança, e ainda ser cobrado para que as contas se ajustem.

E, naturalmente, como nos Estados Unidos, os que mais têm e os que mais especularam ou esbanjaram (inclusive governantes imprevidentes) balançam a poeira e querem dar a volta por cima. Esperam que mais aperto, mais rigidez no gasto público e menos salários resolvam o impasse. Não se dão conta de que a cada *xis* meses uma nova tormenta balança os equilíbrios instáveis alcançados.

É como se daqui a trinta anos os historiadores olhassem para trás e dissessem: "Ah, bom, a grande crise dos derivativos começou em 2007/2008, foi mudando de cara, mas prosseguiu até que novas formas de produzir e de distribuir o poder começaram a dar sinais de vida lá por 2015/2020..."

E nós aqui nesta periferia gloriosa a quantas andamos? Longe do olho do furacão cantamos glória pelo que fizemos, pelo que de errado os outros fizeram e pelo que não fizemos, mas, pensamos, pouco importa, o vendaval do mundo varreu a riqueza de uma parte do globo para outra e nos beneficiou. Será que é assim mesmo? Será que a proeza de evitar as ondas do tsunami impede que a malignidade do resto do mundo nos alcance? Tenho minhas dúvidas. Falta-nos, como impuseram os reacionários americanos a Obama, uma agenda, mas que seja nova e não a desgastada do "clube do chá" americano. A nova agenda existe, está exposta cotidianamente pela mídia e não é propriedade de um partido ou de um governo. Mas onde está a argamassa, como o antigo ideal americano, para conter as divergências, o choque de interesses, e guiar-nos para um patamar mais seguro, mais próspero e mais coeso como nação?

Mal comparando, a presidente Dilma está aprisionada em um dilema do gênero daquele que agarrou Obama. Só que, se no caso norte-americano a crise apareceu como econômica para depois se tornar política, em nosso caso ela surgiu como política — mas poderá se tornar econômica. Explico-me: a presidente é herdeira de um *Sistema*, como dizíamos no período do autoritarismo militar, que funciona solidificando interesses do grande capital, das estatais, dos fundos de pensão, dos sindicatos e de um conjunto desordenado de atores políticos que passaram a se legitimar como se expressassem um presidencialismo de coalizão, no qual se troca governabilidade por favores, cargos e tudo o mais que se junta a isso.

Esta tendência não é nova. Ela foi-se constituindo à medida que o capitalismo burocrático (ou de Estado, ou como se queira qualificar) amealhou apoios amplos entre sindicalistas, funcionários e empresários sedentos por contratos e passou a conviver com o capitalismo de mercado, mais competitivo. Na onda do crescimento econômico as acomodações foram se tornando mais fáceis, tanto entre interesses econômicos quanto políticos (incluindo-se neles os "fisiológicos" e a corrupção).

No início parecia fenômeno normal das épocas de prosperidade capitalista que seria passageiro. Pouco a pouco se foi vendo que era mais do que isso: cada parte do Sistema precisa da outra para funcionar, e o próprio Sistema necessita da anuência dos cooptáveis pelas bolsas e empregos de baixos salários, e precisa de símbolos e de voz. Esta veio com o *predestinado*: o lulismo anestesiou qualquer crítica não só ao Sistema, mas as suas partes constitutivas.

É nesse ponto que o bicho pega. A presidente é menos complacente com certas práticas condenáveis do Sistema. Entretanto, quando começa a fazer uma faxina quebram-se as peças da engrenagem toda. Sem leniências e cumplicidades entre as várias partes, como obter apoio para a agenda necessária à modernização do país? E sem ela, como fazer frente à concorrência da China, à relativa desindustrialização, ou melhor, à "desprodutividade" da economia, e como arbitrar entre interesses legítimos ou não dos que precisam de mais apoio do governo, advenham eles de setores populares ou empresariais?

É cedo para prever o curso dessa história, que apenas começa. Mas não há dúvida que, para se desfazer da herança recebida, será preciso não só *vontade política* como, o que é tão difícil quanto, refazer os sistemas de alianças. É luta para Davi. Neste caso, Golias é pai de Davi.

# Corrupção e poder*

O novo ministro dos Esportes, Aldo Rebelo, afirmou recentemente que os desmandos ocorridos em sua pasta se devem às ONGs, que passaram a ter maior participação na concretização de políticas públicas. E sentenciou: ele só fará convênios com as prefeituras, não mais com segmentos da sociedade civil. Ou seja, em vez de destrinchar o que ocorre na administração federal e de analisar as bases reais do poder e da corrupção, encontra um bode expiatório fora do governo.

No caso, quanto eu saiba, é opinião de pessoa que não tem as mãos sujas por desvios de recursos públicos. Não se trata, portanto, de simples cortina de fumaça para obscurecer práticas corruptas. São palavras que expressam a visão de mundo do novo ministro: o que pertence ao *Estado*, ao governo, é correto; o que vem de fora, da sociedade, traz impurezas... O mal estaria nas ONGs em si, não no desvio de suas funções nem na falta de fiscalização, cuja responsabilidade é dos partidos e dos governos.

Esse tipo de ideologia vem associado a outra perversão corrente: fora do partido e do governo nada é ético; por

* Originalmente publicado nos jornais *O Estado de S. Paulo* e *O Globo*, em 6 de novembro de 2011.

sua vez, o que se faz dentro do governo para beneficiar o partido encontra justificativa e se torna ético por definição.

Repete-se algo do mensalão. Naquele episódio, já estava presente a ideologia que santifica o Estado e faz de conta que não vê o desvio de dinheiro público, desde que seja para ajudar os *partidos populares* a se manterem no poder. Com uma diferença: no mensalão se desviavam recursos públicos e de empresas para pagar gastos eleitorais e para obter apoio de alguns políticos. Agora, são os partidos que se aninham em ministérios e, mesmo fora das eleições, constroem redes de arrecadação por onde passam recursos públicos que abastecem seus caixas e os bolsos de alguns dirigentes, militantes e cúmplices.

A corrupção e, mais do que ela, o *fisiologismo* e o clientelismo tradicional sempre existiram. Depois da redemocratização, começando nas prefeituras, o PT — e não só ele — enveredou pelo caminho de buscar recursos para o partido nas empresas de coleta de lixo e nas de transporte público (sem ONGs no meio...). Há, entretanto, uma diferença essencial na comparação com o que se vê hoje na esfera federal. Antes, o desvio de recursos roçava o poder, mas não era condição para o seu exercício.

Agora, os partidos exigem ministérios e postos administrativos para obterem recursos que permitam sua expansão, atraindo militantes e apoios com as benesses que extraem do Estado. É sob esta condição que dão votos ao governo no Congresso. O que era episódico se tornou um *sistema*, o que era desvio individual de conduta se tornou prática aceita para garantir a *governabilidade*.

Dessa forma, as "bases" dos governos resultam mais da composição de interesses materiais do que da convergência de opiniões. Com isso, perdem sentido as distinções programáticas, para não falar nas ideológicas: tanto faz que o partido se diga *de esquerda*, como o PCdoB, ou centrista, como o PMDB, ou de centro-direita, como o PR, ou que epíteto tenham: todos são condôminos do Estado. Há apenas dois lados, o dos condôminos e o dos que estão fora da partilha do saque.

O antigo lema "é dando que se recebe", popularizado pelo deputado Cardoso Alves no governo Sarney, referia-se às nomeações e ao apadrinhamento que, eventualmente, poderiam levar à corrupção, mas em si mesmo não o eram. Tratava-se da forma tradicional, clientelista, de fazer política.

Hoje é diferente, além da forma tradicional — que continua a existir — há uma nova maneira "legitimada" de garantir apoios: a doação quase explícita de ministérios com as "porteiras fechadas" aos partidos sócios do poder. Digo "legitimada" porque desde o mensalão o próprio presidente Lula outra coisa não fez senão justificar este *sistema*, como ainda agora no caso da demissão dos ministros acusados de corrupção aos quais pediu que tivessem "casca dura" — ou queria dizer caradura? — e se mantivessem nos cargos. Em um clima de bonança econômica, a aceitação tácita deste estado de coisas por um líder popular ajuda a transformar o desvio em norma mais ou menos aceita pela sociedade.

Pois bem, me parece grave que, no momento em que a presidente esboça uma reação a este lavar de mãos, um ministro reitere a velha cantilena: a contaminação adveio das ONGs. Esqueceu-se de que o governo tem a responsabilidade primordial de cuidar da moral do Estado. Não há Estado que seja por si só moral nem partido que seja imune pela graça divina à corrupção. Pior, que não possa se tornar cúmplice de um sistema que se baseie na corrupção.

O *sistema* reage a essa argumentação dizendo tratar-se de "moralismo udenista", referência às críticas que a UDN fazia aos governos do passado, como se ao povo não interessasse a moral republicana. Ledo engano. É só discutir o tema relacionando-o, por exemplo, a trapalhadas com a Copa para ver se o povo reage ou não aos desmandos e à corrupção. A alegação antimoralista faz parte da mesma toada de *legitimação* dos *malfeitos*. Não me parece que a anunciada faxina, embora longe de haver sido completa, tenha tirado apoios populares da presidente.

O obstáculo a uma eventual faxina não é a falta de apoio popular, mas a resistência do *sistema*, como se viu na troca de um ministro por outro do mesmo partido, possivelmente também para preservar um ex-titular do mesmo ministério, que trocou o PCdoB pelo PT e hoje governa o Distrito Federal. Estamos diante de um sistema político que começa a ter a corrupção como esteio, mais do que simplesmente diante de pessoas corruptas.

Ainda há tempo para reagir. Mas é preciso ir mais longe e mais rápido na correção de rumos. E neste esforço as oposições não devem se omitir. Podem lutar no

Congresso por uma lei, por exemplo, que limite o número de ministérios e outra, senão a mesma, que restrinja ao máximo as nomeações fora dos quadros de funcionários. Por que não explicitar as condições para que as ONGs se tornem aptas a receber dinheiro público? Os desmandos não se restringem ao ministério dos Esportes, há outros na fila. Os dossiês da mídia devem estar repletos de denúncias. Não adianta dizer que se trata de conspirações contra os interesses populares. É da salvaguarda deles que se trata.

# 2012

## Crer e perseverar*

Nas duas últimas semanas apareceram alguns artigos na mídia que ressaltam o silêncio das oposições como um risco para a democracia. É inegável que está havendo uma *despolitização* da sociedade, não só no Brasil, mas em muitos países. O "triunfo do mercado" levou às cordas as colorações políticas. Parece que tudo se deve medir pelo crescimento do PIB. Nos países bem-afortunados, ainda que cheios de *malfeitos*, não há voz que ressoe contra os governos.

Nos que caem em desgraça sem terem feito a *lição de casa* — sem terem gerado um *superávit primário* — aí sim, os governos em exercício pagam o preço. Caem porque são vistos como incapazes de assegurar o bom pagamento aos mercados. Não importa ser de coloração mais progressista ou mais conservadora. Caem não porque tenha havido um debate político-ideológico que mostre suas fraquezas eventuais, mas porque o rancor das massas gerado pelo mal-estar econômico-financeiro se abate sobre os líderes do momento.

O Brasil esteve até agora ao abrigo da tempestade que desabou sobre os mercados dos Estados Unidos e da

---

* Originalmente publicado nos jornais *O Estado de S. Paulo* e *O Globo*, em 5 de fevereiro de 2012.

Europa. Por mais que nossos governos errem, os decibéis das vozes oposicionistas são insuficientes para comover as multidões. Pior ainda quando essas vozes estão roucas ou preferem sussurrar. Como entramos em céu de brigadeiro a partir de 2004, tanto pela virtude do que fizemos na década anterior como pelos acertos posteriores e graças à ajuda dos chineses, fazer oposição se tornou um ato de contrição.

Mas que importa? Também era assim no período do milagre dos anos 1970, durante o regime militar. A oposição nada podia esperar, a não ser censura, cadeia ou tortura. Não obstante, não calou. Colheu derrotas eleitorais e políticas, resistiu até que, noutra conjuntura, venceu.

Hoje a situação é infinitamente mais fácil e confortável. Só que falta o que antes sobrava, a chama de um ideal: queríamos reabrir o sistema político. Hoje, o que queremos? Ganhar as eleições? Mas para quê?

Eis o enigma. Não faltam candidatos. Ainda recentemente em conversa analítica que tive com uma jornalista da *Economist,* ressaltei que há vários, e não só no PSDB. Neste, o mais conhecido e denso, José Serra, amadurecido por êxitos e derrotas, não conseguiu deixar claro em 2010 sua mensagem, embora tenha obtido 44% dos votos.

O isolamento no qual sua campanha ficou, dadas as dissonâncias internas do PSDB e as dificuldades para fazer alianças políticas, impediu a vitória. Se o candidato tivesse expressado com mais força suas convicções, mesmo desconsiderando o que as pesquisas de opinião indicavam ser a demanda do eleitorado, poderia ter sensibilizado as massas.

Quem sabe por este caminho se decifre o enigma: falar à sociedade, com força e veemência tudo o que se sente, inclusive a indignação pela corrupção, pela incompetência administrativa e, sobretudo, pelo escândalo de uma sociedade que se faz mais rica com um governo que distribui muito pouco, que faz propaganda do que não concretizou inteiramente e coloca no altar os vencedores, mesmo quando estes ganham à custa do dinheiro do povo que paga impostos cada vez mais regressivos.

Outro, mais óbvio provável candidato, graças à posição eleitoral dominante em seu estado e ao seu estilo de fazer política, Aécio Neves, está em fase de teste: transmitirá uma mensagem que salte os muros do Congresso e chegue às ruas? Encarnará a mudança com a energia necessária e o desprendimento que é o motor da ousadia, arriscando-se a dizer verdades inconvenientes, e aparentemente custosas eleitoralmente, para que o povo sinta que existe *outro lado* e confie nele para abrir perspectivas melhores?

Refiro-me aos dois por serem os mais cogitados no momento. Não são os nomes que importam agora, mas a disposição de correr riscos e de sair da armadilha da briga partidário-eleitoral para entrar na grande cena da opinião pública e, façamos a distinção, da opinião popular.

É evidente que o governo, qualquer governo, leva vantagens, principalmente desde quando o lulopetismo instalou a regra de que tudo vale para manter o poder: clientelismo, propaganda abusiva, uso continuado da máquina pública etc. Entretanto, também no regime militar o governo levava vantagens. Porém nós lutávamos não para ganhar no dia seguinte, mas para criar um horizonte de alternativas.

A elucidação do enigma requer perseverança e coragem. Eu ganhei duas eleições no primeiro turno contra Lula porque tinha uma mensagem: a da estabilização da economia com o real e o início da distribuição de renda. Mesmo sem propagandear, a pobreza deixou de atingir mais de 15 milhões de pessoas com a estabilização dos preços e a política de aumentos reais dos salários mínimos, que começou em 1994. Não foi fácil ganhar os apoios para pôr em ação o Plano Real, precisei brigar muito.

Lula ganhou porque pregou, inicialmente no deserto, ser ele o portador da mensagem que levaria a um mundo melhor. Perseverou, rodou o Brasil, abandonou a tribuna parlamentar e, no começo, desprezou a mídia. Mostrou-se audacioso, desprendido e generoso. Se sinceramente ou não, é outra questão: a "Carta ao povo brasileiro" está à disposição dos historiadores para que julguem. Mas o povo acreditou.

É essa a verdadeira questão da oposição, e deveria ser a preocupação dos pré-candidatos: mergulhar nos problemas do povo, falar de modo simples o que sentem e o que podem fazer. Sem meias-palavras e sem insultos. Sem falácia, com muita convicção. Politizar a cena pública para assegurar a democracia. Dizer quem é bom, ou ainda, o que é bom e o que é mau. Mas dizer nas universidades, nas organizações populares, nas associações profissionais, nas pequenas e médias cidades. Preparar nelas a mensagem — o discurso — para mais tarde falar com credibilidade na grande cena nacional. Quem o fizer terá chances de ser o candidato da oposição e, eventualmente, ganhar as eleições. Isso independe de manobras de cúpula, simpatias e interesses menores.

Não se pense que nossa realidade será sempre o que hoje parece ser: uma sociedade conformada, legendas eleitorais disputando mordomias no "dá cá, toma lá" entre governo e congressistas, e a voz do governo a tonitruar como um trovão divino, a que todos se curvam prestimosos. É só mudar a conjuntura, e a cena muda — se a oposição apresentar alternativas. Mesmo que não mude, nada deve alterar nossos valores e convicções. Continuemos com eles, pois "água mole em pedra dura tanto bate até que fura".

## Política e moral*

Acabo de ler o mais recente livro de Alain Touraine, *Carnets de Campagne*, sobre a campanha de François Hollande. Sem entrar no mérito das apostas políticas do autor, é admirável a persistência com que Touraine vem estudando as agruras da sociedade contemporânea como resultado da crise da "sociedade industrial". Ele refuta análises baseadas em uma sociologia dos sistemas e recorre a uma sociologia dos "sujeitos históricos" e dos movimentos sociais.

O livro vai direto ao ponto: não é possível conceber a política apenas como uma luta entre partidos, com programas e interesses opostos, marcados por conflitos diretos entre as classes. A globalização e o predomínio do capital financeiro-especulativo terminaram por levar o confronto a uma pugna entre o mundo do lucro (como ele designa genericamente, com o risco de condenar toda forma de capitalismo) e o mundo da defesa dos direitos humanos e de um novo individualismo com responsabilidade social, temas que Touraine já tratara em 2010 no livro, *Após a crise*, fundamentados em outra publicação, *Penser Autrement*.

---

* Originalmente publicado nos jornais *O Estado de S. Paulo* e *O Globo*, em 6 de maio de 2012.

A ideia central está resumida na parte final de *Após a crise*: ou nos abandonamos às crises, esperando a catástrofe final, ou criamos um novo tipo de vida econômica e social. Neste é preciso reviver o apelo aos direitos universais da pessoa humana à existência, à liberdade, aos pertencimentos sociais e culturais — portanto, à diversidade de identidades — que estão sendo ameaçados pelo mundo desumano do lucro.

É preciso contrapor os temas morais ao predomínio do econômico. Há uma demanda crescente de respeito por parte dos cidadãos. Estes aderem a valores não como decorrência automática de serem patrões, empregados, ricos, pobres, pertencerem a esta ou àquela organização, mas por motivos morais e culturais. Com esta perspectiva, Touraine responde categoricamente que *não é com os partidos que a política ganhará outra vez legitimidade.*

As instituições estão petrificadas. Só os movimentos sociais e de opinião, movidos por um novo humanismo, expresso por lideranças respeitadas, pode despertar a confiança perdida. Só assim haverá força capaz de se opor aos interesses institucionais do capitalismo financeiro-especulador, que transformou o lucro em motor do cotidiano. Daí a importância de novos atores, de novos sujeitos sociais, portadores de uma visão de futuro que rejeite o *statu quo.*

A partir daí, Touraine, sociólogo experimentado, não propõe uma prédica *moralista*, mas sim novos rumos para a sociedade. Estes, no caso da França, não podem consistir em uma volta à *social-democracia*, ou seja, ao que representou na sociedade industrial o acesso aos bens públicos pelos trabalhadores; nem muito menos ao neoliberalismo gerador do consumismo que mantém o carrossel do lucro. Trata-se de fazer o mundo dos interesses ceder lugar ao mundo dos direitos e à luta contra os poderes que os recusam às populações.

É preciso libertar o pensamento político da mera análise econômica. Os exemplos de insatisfação existem de sobra, e não só na França, vejam-se os *indignados* espanhóis, os rebeldes da Praça Celestial de Pequim ou os atores da Primavera Árabe. Falta dar-lhes objetivos políticos que, acrescento eu, criem uma nova institucionalidade, mais aberta ao individualismo responsável e à ação social direta que marcam a contemporaneidade.

Por que escrevo isto aqui e agora? Porque, *mutatis mutandis* também no Brasil se sentem os efeitos dessa crise. Não tanto em seus aspectos econômicos, mas porque, havendo independência relativa entre as esferas econômicas e políticas, a temática referida por Touraine está presente entre nós. Se me parece um erro reduzir o sentimento das ruas a uma crise de indignação moral, é também errado não perceber que a crise institucional bate às nossas portas e as respostas não podem ser *economicistas*.

A insatisfação social é difusa: é a corrupção disseminada, são as filas do SUS e seu descaso para com as pessoas, é o congestionamento do trânsito, são as cheias e os deslizamentos dos morros, é a violência e o mundo das drogas, é a morosidade da Justiça, enfim, um rosário de mal-estar cotidiano, que não decorre de uma carência monetária direta (embora também haja exagero quanto ao bem-estar material da população), mas constitui a base para manifestações de insatisfação. Por outro lado, cada vez que uma instituição, dessas que aos olhos do povo aparecem como carcomidas, reage e fala em defesa das pessoas e de seus direitos, o alívio é grande. O Supremo Tribunal Federal, em uma série de decisões recentes, é um bom exemplo.

No momento em que o Brasil parece mirar no espelho retrovisor das corrupções, abusos e leniências das autoridades com o malfeito, corre-se o risco de crer que tudo dá no mesmo: os partidos, as instituições, as lideranças políticas, tudo estaria comprometido. É hora, portanto, para que um discurso de base moral — sem olhar para o retrovisor e sem bater boca com *o outro lado*, até porque os lados estão confundidos —, mobilize a população.

Quem sabe, como na França, a palavra-chave seja outra vez *igualdade*. À medida que, por exemplo, vê-se o Tesouro engordar o caixa das grandes empresas à custa dos contribuintes via BNDES, uma palavra por mais igualdade, até mesmo tributária, pode mobilizar. Para tal, é preciso politizar o que aparece como constatação tecnocrática e denunciar os abusos usando a linguagem do povo.

Está na moda falar sobre as *novas classes médias*, muitas vezes com exagero. Se até agora elas vão ao embalo da ascensão social, amanhã demandarão serviços públicos melhores e poderão ser mais críticas das políticas populistas, pois são fruto de uma sociedade que é *da informação*, que está conectada. Crescentemente, cada um terá de dizer se está ou não de acordo com a agenda que lhe é proposta.

As camadas emergentes não são prisioneiras de um status social que regule seu comportamento. Aos líderes cabe politizar o discurso, no melhor sentido, e com ele tocar a alma dos recém-vindos à participação social, não para que entrem em um partido (como no passado), mas para que *tomem partido* contra tanto horror perante os céus. Isso só ocorrerá se os dirigentes forem capazes de propor uma agenda nova, com ressonância nacional, embasada em crenças e esperança.

Sem a distinção entre bem e mal, não há política verdadeira. É este o desafio para quem queira renovar.

## Política e meios de comunicação*

Escrevo esta coluna nas vésperas de partir para o Japão e a China, de onde só regressarei depois de publicado o texto, daqui a duas semanas. É sempre arriscado, nestas condições, falar sobre a agenda política. Será mesmo?

O marasmo é tão grande que possivelmente ao voltar e reler os jornais encontrarei os mesmos temas: a CPI, a corrupção com suas teias enredadas, os candidatos às prefeituras já conhecidos e suas previsíveis alianças, o PIB que cresce pouco, os juros que finalmente começam a cair, a inadimplência dos devedores, as demandas por reformas tributárias, as soluções caso a caso para diminuir os estoques das empresas (principalmente automobilísticas) e assim por diante. Dá até preguiça passar os olhos pelas colunas e notícias da mídia, sem falar das TVs que repetem tudo isso com sabor de *press release*, emitido seja pelo governo, seja por empresas.

Ainda recentemente, um sociólogo mexicano falando na Fundação iFHC e referindo-se a outro aspecto da mesma questão, disse que o resultado das eleições em seu país independe das campanhas eleitorais. Isso porque

* Originalmente publicado nos jornais *O Estado de S. Paulo* e *O Globo*, em 3 de junho de 2012.

quando a propaganda partidária tem vez na mídia, a *opinião* já está enraizada nos eleitores, pois nos anos anteriores se elegeram os heróis e os vilões cujas virtudes e defeitos foram repetidos todo o tempo, sem contestação crítica.

Será muito diferente entre nós? É desta maneira que se exerce nas modernas sociedades de massa o controle ideológico da opinião, pelos governos ou pelos grupos dominantes na sociedade, econômicos ou políticos.

A sensação do já visto, que alimenta a modorra e leva ao tédio e ao descaso com a política, é, entretanto, enganadora e perigosa. A despeito de tudo, nem só de manipulação da opinião vive uma sociedade. De repente, quando menos se espera, não são as *forças do mercado* nem o *pensamento único* (que, no Brasil é menos do que neoliberal, é de esquerda desenvolvimentista-autoritária) que comandam a vontade popular.

É o que vemos agora na Grécia e na França, onde a vitória de Hollande, a despeito do irrealismo de algumas de suas promessas, ecoa até na alma de Obama, e o rígido dogmatismo tedesco, fantasiado de racionalidade de mercado, vê-se cerceado por aspirações de outra natureza. Convém, portanto, não sobre-estimar a força das verdades preestabelecidas. Mormente em nossos dias, quando a internet permite que um sem-número de opiniões divergentes circule sem que os leitores ou ouvintes da grande mídia se deem conta.

Não digo isso para aceitar o conformismo vigente em muitos meios de comunicação, mesmo porque, para fazer frente a ele, é insuficiente o desconcerto causado pela variabilidade de opiniões das mídias sociais e mesmo pela mistura entre lixo eletrônico e real opinião. Digo para alertar: a despeito de parecer que a política, principalmente a partidária, é mais enganação do que afirmação de interesses e valores que podem enfrentar a luz do sol, no final das contas, o que decide nossa vida em sociedade é a política mesmo. Portanto, sensaborona ou não, repetitiva ou não, controlada pelos que mandam ou não, dependemos dela. Nos dias que correm, sobretudo nos regimes democráticos, não há política sem comunicação; logo, é melhor tomar coragem para ler e ouvir tudo o que se diz, mesmo quando partindo de fontes suspeitas.

A precondição para que haja alternativas ao que aí está é manter a liberdade de expressão, mesmo que haja distorções. Isso não exclui uma luta constante contra estas, não para censurá-las, mas para confrontá-las com outras versões. Afastando por inaceitável qualquer tentativa de *controle social da mídia*, o acesso de opiniões divergentes aos meios de comunicação poderia criar um ambiente mais favorável à veracidade das informações. Por exemplo: será que é democrático deixar que os governos abusem nas verbas publicitárias ou que as empresas estatais, sub-repticiamente, façam coro à mesma publicidade sob pretexto de estarem concorrendo em mercados que, muitas vezes, são quase monopólicos?

E que dizer do tom invariavelmente otimista das declarações sobre a superação da crise financeira global oriundas de setores empresariais interessados ou, em nosso caso, da marcha contínua para o êxito econômico reiterada pelos governos? O efeito deletério desse tipo de propaganda disfarçada não é tão sentido na grande mídia, pois nesta há sempre a concorrência de mercado que a leva a pesar o interesse e mesmo a voz do consumidor e do cidadão eleitor. Mas nas mídias locais e regionais o pensamento único impera sem contraponto.

A autenticidade das informações escapa das deformações advindas da influência das forças estatais (inclusive do setor produtivo estatal) e das empresas privadas, precisamente pela voz crítica dos setores da mídia independente, por meio de seus repórteres, editorialistas e mesmo dos proprietários que têm coragem de expor opiniões.

Não por acaso, é contra estes que os donos do poder político e os partidos que os sustentam se movem: denunciam que é a imprensa quem faz o papel da oposição. Até certo ponto isso é verdade. Mais por deficiência dos partidos de oposição, cujas vozes se perdem nos corredores dos parlamentos, do que por desejo de protagonismo da mídia crítica.

Nos países europeus ou nos Estados Unidos, por mais que haja partidarismo nos meios de comunicação ou que por lá prevaleça a mesmice das notícias que refletem o *statu quo*, sempre há espaço para o outro lado, para o contraponto. Mal termina de falar o primeiro-ministro da Inglaterra e já a voz da oposição, como tal, é transmitida. O mesmo ocorre quando o presidente dos Estados Unidos faz sua apresentação anual ao Congresso.

Obviamente, não basta haver uma mudança na oferta de espaço pela mídia, é preciso que haja vozes de oposição com peso suficiente para serem ouvidas e se fazerem respeitar. Sem esquecer que, nas democracias, a voz que pesa politicamente é a de quem busca o voto para se tornar poder.

# As classes médias na berlinda*

Desde abril até agora viajei bastante, saindo e voltando ao Brasil. Fui aos Emirados Árabes, ao México, ao Japão, à China e, na semana passada, ainda fui a Buenos Aires. Sempre participando de seminários ou fazendo conferências. Lia, naturalmente, os jornais locais que tinham edição em inglês. Por toda parte um assunto dominante: a crise econômica.

Em alguns países, mesmo com regimes políticos muito diferentes, como China e Brasil ou Argentina, alguma preocupação com a corrupção. Nessa mesmice, li com prazer em Buenos Aires, no *La Nación*, um artigo de Marcos Aguinis, "O orgulho da classe média", reproduzido no dia seguinte no jornal *O Globo*.

Aguinis desacredita da visão, que predominava nos círculos de esquerda, de que a classe média — a pequena burguesia, como era chamada — seria a Geni da História. Fascinados pelo papel revolucionário e liberador da revolução proletária e, mais tarde, pelo ímpeto das massas ascendentes, os ideólogos de esquerda — e não só eles, pois a moda pegou — não viam mais do que atraso e mesquinhez

* Originalmente publicado nos jornais *O Estado de S. Paulo* e *O Globo*, em 1º de julho de 2012.

na classe média, os *desvios* pequeno-burgueses e a tibiez que lhe tirava o ímpeto para transformar a sociedade.

Provavelmente, em certas conjunturas históricas, especialmente na velha Europa, era assim que as classes médias agiam. Basta ler os romances de Balzac como *Eugênia Grandet* ou *O pai Goriot* para sentir que essas camadas ficavam apequenadas, mesquinhas, diante da burguesia vitoriosa ou da nobreza decadente aliada à mesma. Entretanto, terá sido essa a posição das classes médias nas Américas e nos países de imigração?

Dou a palavra a Aguinis: na Argentina, tanto no campo como nas cidades, as classes médias se expandiram e começaram a construir valores que deram suporte a três culturas, "a cultura do trabalho, a cultura do esforço e a cultura da honestidade". O mesmo, acrescento, terá ocorrido na Austrália ou no Canadá e, de outra maneira, nos Estados Unidos.

E no caso brasileiro, terá sido distinto? Esmagadas entre a escravidão e o senhorio rural, agraciadas aqui e ali com algum título não hereditário durante o Império, as classes médias urbanas, compostas por profissionais liberais, funcionários públicos, militares, professores e poucas categorias urbanas mais, no que iriam se apoiar para manter as distinções e realizar algo na vida? Basicamente na escola e nos valores familiares que levam ao trabalho. Tudo com muito esforço.

Com a chegada dos imigrantes, à medida que estes, motivados pelas necessidades de trabalhar, *faziam a América*, do mesmo modo se incorporaram às classes médias trilhando os caminhos do estudo e buscando ostentar a *boa moral*. No percurso dessa camada de imigrantes viu-se a formação de algo que poderia se aproximar de uma *burguesia pequena*, ou pequena burguesia: sua base econômica, em maior número do que no caso das populações brasileiras mais antigas, provinha de um pequeno negócio. Ainda assim sua inserção na sociedade e sua gradação social eram dadas pelas mesmas virtudes das antigas classes médias, a valorização do trabalho, o estudo *para subir na vida*, a honestidade.

A própria base operária brasileira, a camada dos trabalhadores, usando outros instrumentos de ascensão social, como os sindicatos, e mantendo o ideal de trabalhar por conta própria, não fugiu deste padrão: escola/trabalho/decência. Obviamente quando a sociedade se massifica, quando os meios de comunicação, TV à frente e agora a internet, dão os compassos da dança, o quadro é menos nítido. Já não se vê com clareza quais valores guiam as chamadas classes médias emergentes.

Mesmo que haja exagero na insistência com que se repete que milhões e milhões de brasileiros estão ingressando nas *novas classes médias*, pois por enquanto se trata de novas categorias de renda mais do que propriamente de uma nova *classe social*, a transformação da renda em classe é questão de tempo. Seus membros pouco a pouco irão frequentar escolas razoáveis, criar uma teia de relações com acesso aos mesmos clubes e a gozar das mesmas facilidades de recreação, trajar-se mais ou menos de modo igual (o que já ocorre), desenvolver uma cultura de trabalho qualificado e, de novo, comportar-se valorizando a decência e a honestidade.

Como se comportarão estas classes emergentes na política quando se transformarem em uma categoria social com características, anseios e valores próprios? É provável que se juntem nas formas de comportamento e nos valores às classes médias preexistentes. Estas, no momento, sentem-se um tanto desconectadas da instituição que, sem ser a única, lhes abrigou e deu influência: o governo, o Estado. Justamente porque a política vem sendo percebida cada vez mais como um jogo de vale-tudo, onde a moral conta menos do que o resultado.

É hora, por isso mesmo, de reforçar e não de menosprezar os valores fundamentais ditos *de classe média* — estudo, trabalho, honestidade. Valores culturais não se impõem por lei, são modelos de conduta aos quais se juntam sentimentos positivos. Só a exemplaridade e a repetição enaltecida deles (na escola, na família, na mídia e na vida pública) vão aos poucos inculcando na mentalidade geral as formas que definem o que é bom, o que é ruim.

Minha aposta é a de acreditar, como crê Aguinis, que a velha e boa classe média, que já contribuiu para a formação da nação, ainda pode ter papel relevante e será capaz de contagiar com seus valores as camadas emergentes, pois estas a eles já são predispostas: melhoraram a renda com esforço e trabalho.

É certo que o descaso em nossa vida pública pelos valores básicos das classes médias diminui as chances de que eles venham a prevalecer. Há oportunidades, entretanto, para reforçá-los. O julgamento do mensalão é uma delas. Seja qual for o resultado, se o STF se comportar institucionalmente, sem medo de condenar ou de absolver, desde que explicando o porquê e sendo transparente, pode ajudar a demarcar os limites do inaceitável. Nem só de pão vive o homem. A decência e a honestidade são partes da vida. Convém reforçar os comportamentos que se inspiram nelas.

## Herança pesada*

A presidente Dilma Rousseff recebeu uma herança pesada de seu antecessor. Obviamente, ninguém é responsável pela maré negativa da economia internacional, nem a presidente nem aquele a quem sucedeu. Mas há muito mais do que só o infortúnio dos ciclos do capitalismo.

Comecemos pelo mais óbvio: a crise moral. Nem bem completado um ano de governo, e lá se foram oito ministros, sete dos quais por suspeitas de corrupção. Pode-se alegar que quem nomeia ministros deve saber o que faz. Sem dúvida, mas há circunstâncias. No entanto, como o antecessor jogou papel eleitoral decisivo, seria difícil recusar de plano seus afilhados. Suspeitas, antes de se materializarem em indícios, são frágeis diante da obsessão por formar maiorias hegemônicas, enfermidade petista incurável.

Mas não foi só isso: o mensalão é outra dor de cabeça. De tal desvio de conduta a presidente passou longe e continua se distanciando. Mas seu partido não tem jeito. Invoca a prática de um delito para encobertar outro: o dinheiro desviado seria *apenas* para o caixa dois eleitoral,

* Originalmente publicado nos jornais *O Estado de S. Paulo* e *O Globo*, em 2 de setembro de 2012.

como disse Lula em tenebrosa entrevista dada em Paris, versão recém-reiterada ao *New York Times*. Pouco a pouco, vai se formando o consenso jurídico, de resto já formado na sociedade, de que desviar dinheiro é crime, tanto para caixa dois como para comprar apoio político no Congresso. Houve mesmo busca de hegemonia a peso de ouro alheio.

Mas não foi só isso que Lula deixou como herança à sucessora. Nos anos de bonança, em vez de aproveitar as taxas razoáveis de crescimento para tentar aumentar a poupança pública e investir no que é necessário para dar continuidade ao crescimento produtivo, preferiu governar ao sabor da popularidade. Aumentou os salários e expandiu o crédito, medidas que, se acompanhadas de outras, seriam positivas.

Deixou de lado as reformas politicamente custosas: não enfrentou as questões regulatórias para acelerar as parcerias público-privadas e retomar as concessões de certos serviços públicos. A despeito da abundância de recursos fiscais, deixou de racionalizar as práticas tributárias, num momento em que a eliminação de impostos poderia se fazer sem consequências negativas: a oposição conseguiu suprimir a CPMF, cortando 50 bilhões de impostos, e a derrama continuou impávida.

É longa a lista do que faltou fazer quando seria mais fácil. Na questão previdenciária, um único *avanço* não se concretizou: a criação de uma previdência complementar para os funcionários públicos que viessem a ingressar depois da reforma. A medida foi aprovada, mas sua consecução dependia de lei subsequente para regulamentar os fundos suplementares, que nunca foi aprovada. As centenas de milhares de recém-ingressados no serviço público na era lulista continuaram a beneficiar-se da regra anterior. Foi preciso que novo passo fosse dado pelo governo atual para reduzir, no futuro, o déficit da Previdência.

Que dizer, então, de modificações para flexibilizar a legislação trabalhista e incentivar o emprego formal? A proposta enviada pelo meu governo, com esse objetivo, embora assegurasse todos os direitos trabalhistas previstos na Constituição, foi retirada do Senado pelo governo Lula em 2003. Agora é o próprio Sindicato Metalúrgico de São Bernardo do Campo que pede a mesma coisa...

Mas o "hegemonismo" e a popularidade à custa do futuro forçaram outro caminho: o dos *projetos de impacto*, que certos períodos do autoritarismo militar tanto prezaram. Projetos que não saem do papel ou, quando saem, custam caríssimo ao Tesouro e têm utilidade relativa.

O exemplo clássico foi a formação a fórceps de estaleiros nacionais para produzirem navios-tanque para a Petrobras (pagos, naturalmente pelos contribuintes, seja através do BNDES, seja pelos altos preços desembolsados pela Petrobras). Depois do lançamento ao mar do primeiro navio, com fanfarras e discursos presidenciais, passaram-se meses para descobrir que o custo não fez jus a tanta louvação.

Que dizer dos atrasos da transposição do São Francisco ou da Transnordestina, ou ainda da fábrica de diesel à base de mamona? Tudo relegado aos restos a pagar do esquecimento.

O que mais pesa como herança é a desorientação da política energética. Calemos sobre as usinas movidas *a fio d'água*, cuja eletricidade para viabilizar o empreendimento terá de ser vendida como se a produção fosse firme o ano inteiro, e não sazonal. Foi preciso substituir o companheiro que dirigia a Petrobras para que o país descobrisse o que o mercado já sabia, havendo reduzido quase pela metade o valor da empresa. O custo da refinaria de Pernambuco será dez vezes maior do que previsto; há mais três refinarias prometidas que deverão ser postergadas *ad infinitum*.

O preço da gasolina, controlado pelo governo, não é compatível com os esforços de capitalização da Petrobras. Como consequência de seu barateamento forçado — que ajuda a política de expansão ilimitada de carros com a coorte de congestionamentos e poluição —, a produção de etanol se desorganizou a tal ponto que estamos importando etanol de milho dos Estados Unidos!

Com isso tudo e apesar de estarmos gastando mais divisas do que antes com a importação de óleo, o presidente Lula não se pejou em ser fotografado com as mãos lambuzadas de petróleo para proclamar a autossuficiência de produção, no exato momento em que a produtividade da extração se reduzia. No rosário de desatinos, os poços secos, ocorrência normal neste tipo de exploração, deixaram de ser lançados como prejuízo, para que o país continuasse embevecido com as riquezas do pré-sal, que só se materializarão quando a tecnologia permitir que o óleo seja extraído a preços competitivos, o que poderá se tornar difícil com as novas tecnologias de extração de gás e óleo dos americanos.

É pesada como chumbo a herança deste estilo bombástico de governar que esconde males morais e prejuízos materiais sensíveis para o futuro da nação.

# Melancolia e revolta*

Não sou propenso a queixas nem a desânimos. Entretanto, ao pensar sobre o que dizer nesta crônica senti certa melancolia. Escrever outra vez sobre o mensalão e sobre o papel seminal do STF? Já tudo se sabe e foi dito. Entrar no novo escândalo, o do gabinete da Presidência em São Paulo? Não faz meu estilo, não tenho gosto por garimpar malfeitos e jogar mais pedras em quem, nesta matéria, já se desmoralizou bastante.

Tentei mudar de foco indo para o econômico. Mas de que vale repetir críticas aos equívocos da política petrolífera, que começaram com a redefinição das normas para a exploração do pré-sal? As novas regras criaram um sistema de partilha que se apresentou como inspirado no *modelo norueguês* — no qual os resultados da riqueza petrolífera ficam em um fundo soberano, longe dos gastos locais, para assegurar bem-estar às gerações futuras — quando na verdade se assemelha ao modelo adotado em países com regimes autoritários.

Até aqui o novo modelo gerou apenas atrasos, custos excessivos e estagnação na produção de petróleo, além de

* Originalmente publicado nos jornais *O Estado de S. Paulo* e *O Globo*, em 2 de dezembro de 2012.

uma briga inglória (e injusta para com os estados produtores) a respeito de royalties que ainda não existem e que, quando existirem, serão uma torneira aberta para gastos correntes e pressões inflacionárias. A contenção do preço da gasolina já se tornou rotina, mesmo que afete a rentabilidade da Petrobras e desorganize a produção de etanol. O objetivo é segurar a inflação por artifícios e garantir a satisfação dos usuários.

Calo sobre os efeitos da redução continuada do IPI para veículos e do combustível artificialmente barato. Os prefeitos que cuidem de aumentar ruas e avenidas para dar cabida a tanto bem-estar... e os moradores das grandes cidades que se munam de ainda maior paciência para enfrentar mais congestionamentos.

E que dizer da tentativa de cortar o custo da energia elétrica que teve como resultado imediato a perda de valor das ações das empresas? E essa agora de altos funcionários desdizerem o anunciado e, sem qualquer segurança sobre como será ajustado o valor do patrimônio das empresas do setor elétrico, provocarem súbitas altas nas ações? O pior é que ninguém será responsabilizado por eventuais ganhos de especulação advindos da falta de compostura verbal.

Valerá a pena insistir em que o trem-bala é um desvario na atual conjuntura, pois terminará sendo pago pelos contribuintes, como estão sendo pagas as usinas mal licitadas? Para construção destas, pelas condições estabelecidas pelo próprio governo, praticamente só acorrem empresas estatais financiadas pelo BNDES com dinheiro transferido do Tesouro, quer dizer, com dinheiro seu, meu, nosso. E as rodovias, e os aeroportos? Uma novela que já vai longe, numa trama desencontrada. Tomara ainda tenhamos final feliz...

Olhando em retrocesso, nos anos da grande ilusão lá pelos finais de 1970 e início dos 1980, os *projetos de impacto*, como a Transamazônica, a Ferrovia do Aço e outros tantos, feitos a partir de decisões tecnocráticas nos gabinetes ministeriais, nos estarreciam. Clamávamos também contra indícios de corrupção. Não poderíamos imaginar que depois das greves de São Bernardo e das Diretas Já, as mesmas distorções seriam praticadas por alguns que então as combatiam.

Criticava-se tanto o nepotismo e o compadrio, a falta de profissionalismo na administração e de transparência nas decisões e imaginava-se com tanta fé que o Congresso livre daria cobro aos desmandos, que é difícil esconder a desilusão. As proezas de cinismo e leniência praticadas por alguns dos personagens que apareciam como *heróis salvadores* são chocantes. É uma lástima ver hoje uns e outros confundidos na coorte de dúbios personagens que alegam nada saber dos malfeitos.

O que entristece, porém, não é só a conduta de algumas pessoas. É o silêncio das instituições democráticas. A mídia fala e cumpre seu papel. Cumpre-o tão bem que é confundida pelos que sustentam os malfeitos como se fosse ela e não a polícia quem descobre os desatinos ou como se ser visse à oposição interessada em desgastar o governo.

Recentemente, algumas instituições de Estado começaram a agir responsavelmente: o Ministério Público pouco a pouco perdeu o ranço ideológico para se concentrar no que lhe é devido, a defesa da lei em nome da sociedade. Os

Tribunais, especialmente depois do Conselho Nacional de Justiça ser organizado, começam a sacudir a poeira e a julgar, dando-lhes igual o réu ser potentado ou pobretão. Mas o Congresso e os partidos estão longe de corresponder aos anseios dos que escrevemos a Constituição de 1988.

O Congresso, que na Carta de 1988, por sua inspiração inicial parlamentarista, ficou com responsabilidades enormes de fiscalização, prefere calar e se submeter docilmente ao Executivo. Voltamos aos tempos da República Velha, com eleições a bico de pena e as Comissões de Verificação de Poderes, que cassavam os oposicionistas. Só que agora somos *modernos*: não se frauda o voto, asseguram-se maiorias pelos balcões ministeriais ricos em contratos e por emendas parlamentares distorcidas. Com maiorias de 80% parece até injusto pedir que a oposição atue. Como?

De qualquer maneira, é preciso bradar e mostrar indignação e revolta, ainda que pouco se consiga de prático, mesmo sem esperança de vitória ou retribuição imediata, como se fazia no tempo do autoritarismo. Não há bem que sempre dure nem mal que não acabe.

Chegará o momento, como chegou nos anos 1980, em que, com toda a aparência de poder, o Sistema fará água. Entre as centenas, talvez milhares de pessoas que se beneficiam da máquina do poder e os milhões de pessoas *emergentes* ávidas por melhorar sua condição de vida por este Brasil afora, há espaço para novas pregações.

Novas ilusões? Quem sabe. Mas, sem elas, é a rotina do já visto, das malfeitorias e dos "não sei, não vi, não me comprometo".

# 2013

# Sem saudades*

É quase uma constante começar um novo ano com um balanço sobre o que finda e com votos de esperança para o futuro. Neste janeiro, não fosse a reiteração da esperança haveria dificuldades em manter o ânimo. Melhor imaginar que algo de positivo ocorrerá no futuro, porque, do ano que se encerrou, pouco restou de bom.

Na vida pessoal é distinto. Cada um fará o balanço que melhor lhe aprouver; eu pessoalmente nada de monta tenho a lastimar. Mas nos acontecimentos públicos, quanto desalento. Ainda bem que a História não se repete automaticamente. Vade-retro!

Comecemos pela economia e pelas finanças internacionais. Quando parecíamos estar saindo da recessão que se arrastava desde 2008, a recuperação mundial se mostrou mais lenta, e a crise na Europa, ainda mais profunda. É desolação para todos os lados.

Os americanos, mais pragmáticos, nadam de braçada em um mar de dólares trocados por títulos de solvência difícil, à custa do resto do mundo. Este não sabe o que fazer com a taxa de câmbio para se defender da inundação

---

* Originalmente publicado nos jornais *O Estado de S. Paulo* e *O Globo*, em 6 de janeiro de 2013.

de dólares, enquanto os Estados Unidos postergam o dia do ajuste final. Lá a taxa de desemprego continua elevada, embora não em ascensão; e se o país não exibe retomada vigorosa da economia, todavia não cai no abismo fiscal anunciado pela imprensa, o *fiscal cliff*.

Ou melhor, os EUA estão mergulhados nele, mas com escafandro: mantêm as ruas aquietadas e vão contornando sem violência os que protestam nas praças, como no caso do movimento Occupy. Não conseguem, é verdade, escapar do abismo político das posições radicalmente distintas entre republicanos e democratas, muito maior do que aquele no qual está imerso o Tesouro.

Os dois partidos não se entendem para definir uma política fiscal que alivie as aperturas do Tesouro, pois os republicanos não aceitam impostos que taxem mais os ricos nem apoiam medidas que deem alívio às dificuldades dos mais pobres, sobretudo na questão da saúde. A sociedade americana parece bloqueada.

Os europeus pretendem levar a sério o que os americanos dizem, não o que fazem. Pilotam a economia com rédea de ferro, ortodoxos como ninguém conseguira antes. E a economia, tal como o cavalo do inglês, que quando aprendeu a viver sem comer morreu, vai de austeridade em austeridade desfazendo o tão penosamente construído modelo social europeu, rompendo, ou melhor, sufocando o estado de bem-estar social e destruindo as bases de um pacto de convivência aceitável.

É governo caindo por todo lado e desemprego fazendo as famílias gemerem sem ilusões. E nada do PIB crescer nem das contas públicas melhorarem: da crise de liquidez do setor bancário privado passaram a quebradeira dos Tesouros nacionais — enquanto o euro continua intrépido como se fosse bandeira da Alemanha triunfante. Esta, por sua vez, torna-se capenga pela falta de quem compre as mercadorias que sua produtividade torna baratas em comparação com as produzidas além-fronteiras.

Até a China, cujo aparelho produtivo, baseado em exportações, foi criado em aliança com as multinacionais, teve de ajustar-se às circunstâncias, pois lhes falta hoje o vigor do mercado externo de outrora. O país reconstitui penosamente seus objetivos; por ora, essa transição não se completou, e o velho modelo já não produz os mesmos exuberantes resultados. Tenta aumentar o consumo doméstico e criar a rede de proteção social indispensável para dar ânimo às pessoas e fazê-las, em vez de poupar para a velhice e a invalidez, consumir.

Ao mesmo tempo, com demanda interna insuficiente, a China reduz suas compras de commodities e busca exportar mais os muitos produtos manufaturados que fabrica. O Brasil sofre com isso. Se aqui a crise não produziu um tsunami, suas marolas converteram-se em marasmo, que obriga à navegação a vela em tempos de calmaria.

Haveria consolo se pelo menos a situação política mundial desse algum sinal de melhoria. No final de 2011 meus votos foram pela construção de uma melhor governança global, processo que se avizinhava. Não foram atendidos, demos marcha à ré. As esperanças suscitadas pelo G-20 viraram poeira e, pelo menos até agora, a regulação do mercado financeiro virou balela.

No plano das relações de poder, apesar dos avanços já alcançados — as razoáveis relações sino-americanas, o deslocamento do eixo do mundo para a Ásia, a progressiva aceitação da Rússia como parte do jogo de poder mundial e o reconhecimento do peso político específico de alguns dos países de economia emergente, como o Brasil — não houve progresso de monta.

O que parecia um ressurgimento que permitiria o reconhecimento do mundo árabe-islâmico como parceiro global — a Primavera Árabe — ainda é uma incógnita. Como não bastassem a desastrada intervenção europeia na Líbia (que resultou em faccionalismo e violência), a revolta fomentada na Síria (com enorme custo humano), o fracasso da intervenção ocidental no Afeganistão e o congelamento de uma situação política precária no Iraque, há ainda o impasse nas relações palestino-israelenses. Este, graças à aceitação pela ONU do Estado palestino na condição de observador, junto com a enigmática revolução egípcia, poderá ser rompido. Sabe-se lá usando quais meios. Oxalá não os nucleares, pretextando a nuclearização do Irã.

Há, portanto, boas razões para desconfiar que 2013 nos reserve dias melhores. Resta o consolo de que entre nós brasileiros, a despeito do já dito e do desapontador "pibinho", que parece desenhar outro apenas melhorzinho para o ano em curso, pelo menos o Judiciário desempenhou seu papel. Sem me regozijar pelo que não me anima — a desolação da cadeia para quem quer que seja — é forçoso reconhecer que as instituições republicanas funcionaram.

Há choro e ranger de dentes entre alguns poderosos. Há tentativas desesperadas de negar as evidências e acusar de farsa o que é correto. Mas tem prevalecido a serenidade dos que acreditam, como diz a bandeira dos mineiros sobre a Liberdade, que a Justiça pode tardar, mas não falha. São meus votos.

## Sem disfarce nem miopia*

As forças governistas, depois de precipitarem a campanha eleitoral, voltaram ao diapasão antigo: comparar os governos petistas com os do PSDB. Chega a ser doentio! Será que não sabem olhar para a frente? As conjunturas mudam. O que é possível fazer em uma dada fase muitas vezes não pode ser feito em outra; políticas podem e devem ser aperfeiçoadas. Porém, na lógica infantil prevalecente, em lugar de se perguntar o que mudou no país em cada governo, em que direção e com qual velocidade, fazem-se comparações sem sentido e imagina-se que tudo começou do zero no primeiro dia do governo Lula.

Na cartilha de exaltação aos dez anos do PT no poder, com capa ao estilo realismo socialista e Dilma e Lula retratados como duas faces de uma mesma criatura, a história é reescrita para fazer as estatísticas falarem o que aos donos do poder interessa. Nada de novo sob o sol: é só lembrar dos museus soviéticos que borravam nas fotos os rostos dos ex-companheiros caídos em desgraça... O PSDB não deve entrar nesta armadilha. É

---

* Originalmente publicado nos jornais *O Estado de S. Paulo* e *O Globo*, em 3 de março de 2013.

melhor olhar adiante e deixar as picuinhas para quem gosta delas.

Quanto ao futuro, o governo está demonstrando miopia estratégica. Depois de quatro anos iniciais de consolidação da herança bendita, a política econômica teve de reagir ao violento impacto da crise de 2007/2008. Foi necessário, sem demora, expandir o gasto público, desonerar setores produtivos, ampliar o crédito através dos bancos públicos etc. Em situações extraordinárias, medidas extraordinárias.

Mas o cachimbo foi entortando a boca: a discricionariedade governamental tornou-se a regra desde então. Com isso, a credibilidade do Banco Central foi posta em xeque, a transparência das contas públicas também. Cresceram as dúvidas sobre a inflação futura e sobre o compromisso do governo com a responsabilidade fiscal.

Não há que exagerar na crítica: por ora, o trem não descarrilou. Mas as balizas que asseguraram crescimento com estabilidade (câmbio flutuante, metas inflacionárias e responsabilidade fiscal), mesmo ainda em pé, tornam-se cada vez mais referências longínquas. A máquina governamental está enguiçada como o próprio governo sente; e sua incapacidade para consertá-la é preocupante. Os expedientes utilizados até agora com o propósito de acelerar o crescimento deram em quase nada — no pibinho.

Na ânsia de acelerar a economia, o governo beijou a cruz e apelou para as concessões (portos, aeroportos, estradas) e mesmo privatizações (de partes da distribuição energética). Mas a viseira ideológica, o hábito de fechar-se em pequenos grupos, a precariedade gerencial não permitem dar efetividade a decisões que ferem o coração de suas crenças arcaicas.

Enquanto a China puxar as exportações de matérias-primas e de alimentos, tudo vai se arranjando. Mesmo assim, a produção industrial torna-se menos competitiva e perde importância relativa no processo produtivo. A balança comercial já deixou de ser folgada, mas com o financiamento estrangeiro as contas vão fechando. No curto prazo, tudo bem. A prazo mais longo, volta a preocupar o fantasma da *vulnerabilidade externa*.

Já se veem no horizonte sinais de retomada na economia mundial. Não me refiro a uma incerta recuperação do emprego e do equilíbrio fiscal, este em alguns países da Europa, aquele nos Estados Unidos. Refiro-me ao que Joseph Schumpeter salientava para explicar a natureza do crescimento econômico: uma onda de inovações.

Provavelmente serão os Estados Unidos que capitanearão a nova investida capitalista mundial. O gás de xisto e os novos métodos de extração de petróleo tornarão aquele país a grande potência energética. Junto com ele, Canadá, México, Argentina e Brasil podem ter um lugar ao sol. Se isso for verdade, uma nova geopolítica se desenha, com, por um lado, um polo chinês-asiático e, por outro, um americano. Isso em um contexto político e cultural que não aceita hegemonias, no qual, portanto, a multiplicidade de polos e subpolos requer uma nova institucionalidade global.

Diante disso, como ficará o Brasil: pendendo para a ALBA, de inspiração chavista? À margem da nova aliança atlântica proposta pelos Estados Unidos que, por agora, contempla apenas a América do Norte e a Europa? Iremos fortalecer nossos laços com o mundo árabe longínquo ou este terminará por se aconchegar na dupla formada pela China e pela Índia, ambos países carentes de energia?

E como nos situaremos na dinâmica da nova fase do capitalismo global? Ao que eu saiba, ela continuará dependendo do aumento contínuo de produtividade para assegurar as bases do bem-estar social (que não virá em decorrência automática disso, mas de políticas adequadas). Como, então, querer acelerar o crescimento utilizando truques e maquiagens, do tipo subsídios tópicos, exceções de impostos setoriais, salvamento de empresas via Hospital BNDES ou Caixa Econômica Federal?

Quando o PSDB fez o Plano Real, percebeu as oportunidades que se abriam para o Brasil com a globalização, desde que se ajustasse a economia e se iniciassem políticas de inclusão social. Na época o PT não entendeu do que se tratava. Queria dar o calote da dívida externa e sustentava o inadequado programa Fome Zero, que jamais saiu do papel.

Foram as bolsas que o PSDB introduziu que salvaram o PT, quando este, tardiamente, deu-se conta de que era melhor fazer uma política de transferência direta de rendas. Em geral se aferrou à ideia de que a globalização seria uma ideologia — o neoliberalismo —, e não a maneira contemporânea de organizar a produção com base em novas tecnologias e novas normas.

Não estará o PT repetindo o equívoco, com uma leitura míope do mundo e distorcida do papel do Estado? A resposta cabe ao governo. Ao PSDB cumpre oferecer a sua visão alternativa e um programa contemporâneo, que amplie as possibilidades de realização pessoal e coletiva dos brasileiros. Sem esquecer o passado, mas com os olhos no futuro.

# Razão e bom senso*

Apesar de parecer difícil guardar otimismo e manter esperanças diante do quadro atual de crise financeira e desatinos políticos, sempre se há de tentar construir um futuro melhor.

Descartes dizia que o bom senso era a coisa mais bem distribuída entre as pessoas. Em sua época, bom senso equivalia à razão. Na linguagem atual corresponderia a dizer que o coeficiente de inteligência (QI) se distribui entre todas as pessoas seguindo uma curva que se mantém inalterada no tempo, geração após geração. Será? É possível e mesmo provável. Mas bom senso implica também inteligência emocional e prudência ao tomar decisões. Não basta ser inteligente, é preciso ser razoável e prudente para evitar que as paixões se sobreponham à razão. É preciso ter juízo.

Ora, no mundo em que vivemos, pelo menos neste momento, parece grande o risco de ações impulsivas comprometerem o que é razoável. Quando ainda se podia crer que havia uma *lógica econômica* para justificar ações de força — por exemplo, na época do colonial-imperialismo

* Originalmente publicado nos jornais *O Estado de S. Paulo* e *O Globo*, em 7 de abril de 2013.

— a repulsa ao inaceitável (a subordinação de povos à acumulação de riquezas) vinha seguida da explicação *lógica* do porquê das ações: o objetivo seria acumular riquezas e expandir o capitalismo.

Mas e agora, quando a Coreia do Norte bravateia (e quem sabe o que fará) que pode arrasar o Sul e mesmo atingir a costa Oeste dos Estados Unidos, qual é a lógica? E que dizer do dr. Bashar Assad, que fechou sua clínica médica em Londres para substituir o pai no poder e bombardeia seus conterrâneos há dois anos?

Fossem só estes os exemplos, mas não. Na pequena Chipre, cujo sistema bancário se tornou abrigo para capitais de procedência discutível, quando não claramente resultantes da corrupção e da evasão fiscal, vê-se um governo que, sem mais essa nem aquela, temeroso da pressão dos controladores financeiros da União Europeia, não tem ideia melhor do que expropriar os depositantes, sejam ou não proprietários de capitais de origem discutível.

Embora menos flagrantemente absurdo, o mau manejo financeiro e fiscal na União Europeia não está levando os povos ao desespero, tamanha a injustiça de fazer com que quem não tem culpa pague pelo desatino de governos e financistas?

Ainda bem que nem tudo é desatino. Obama ao tomar posse de seu primeiro mandato disse que os Estados Unidos deveriam investir mais em ciência e tecnologia e preparar uma revolução produtiva baseada na energia limpa, juntando conhecimento e inovação com a possibilidade de a economia crescer sem destruir o meio ambiente.

Esta semana renovou a crença, e parece que seu país está saindo da crise iniciada em 2008, fazendo o que era necessário: abrindo novas áreas de investimento, alterando a geopolítica da energia e, quem sabe, deixando para trás os tremendos erros que levaram à explosão dos mercados financeiros *ponto com*. Será? Torçamos para que dessa vez prevaleça não só a razão cartesiana, mas o bom senso comum — e que se entenda que mercados sem regulação levam à irracionalidade.

Quanto a nós brasileiros, parece que tampouco aprendemos muito com equívocos voluntaristas do passado. Somos reincidentes. Juntamos aos impulsos movidos por boa vontade certa grandiosidade que não corresponde à realidade. Ao desejar sair da ameaça de baixo crescimento econômico a todo custo, vão sendo anunciados a cada dia novos planos e programas. Entretanto, só saem do papel morosamente, e, muitas vezes, nem isso. Por quê?

Talvez porque acreditemos demais em grandes planos salvadores e menos no método, na rotina, na persistência e na inovação para acelerar o caminho. O governo, por exemplo, percebeu que o futuro depende do conhecimento e que existe um quase apagão de gente qualificada para o país encarar o futuro com maior otimismo. Logo, havia que propor *a grande solução*. Em vez de termos minguados 8.500 bolsistas no exterior passaríamos logo a 100 mil em quatro anos! Resultado: uma profusão de bolsas, um menoscabo da capacidade universitária já instalada e o envio ao exterior de muitos que nem sequer conhecem bem a língua do país onde vão estudar.

Do mesmo modo, ao descobrir que havia óleo na camada do pré-sal, largamos o etanol, esquecemos que os poços se extinguem, não investimos suficientemente nas áreas fora do pré-sal e desdenhamos o que de novo pode ter havido no mundo, como as inovações na extração do óleo e do gás do xisto, alternativas seguidas pelos norte-americanos.

Claro que ainda há tempo para recuperar o tempo perdido e retomar a esperança. Mas, se em vez de cantar loas ao que ainda não é palpável e de dedicar tanto tempo à briga pelos futuros royalties do petróleo, tivéssemos, sem muito bumbo, discutido metodicamente as melhores alternativas energéticas, inclusive as do petróleo, e tivéssemos apoiado mais a pesquisa e a inovação, provavelmente sentiríamos menos angústia pelas oportunidades perdidas.

O comentário vale para toda a infraestrutura econômica. Ah, se tivéssemos preparado leilões bem-feitos para as concorrências nas estradas, nos portos, nos aeroportos e assim por diante, poderíamos ter evitado o desperdício de parte *da maior safra de grãos da história* pelas péssimas condições de transporte e embarque dos produtos.

Para remediar, propõem-se sempre mais projetos grandiosos, e tanto o governo como seus arautos se perdem em discursos grandiloquentes. Não é isso o que ocorre também com as medidas para enfrentar as ameaças de uma ainda mais alta inflação? Imediatismo e atropelo na concessão de subsídios, isenções e favores substituem a pachorrenta persistência em uma linha de conduta coerente que, menos espalhafatosamente, possa levar o país a dias melhores.

Estes, entretanto, são possíveis. O *xis* da questão é simples de ser formulado, difícil de ser executado: como passar da quantidade para a qualidade, do palavrório para uma gestão prática; como em vez de animar uma sociedade de espetáculos ("Nunca na história..."), construir uma sociedade decente, na qual a palavra corresponda a fatos e não a piruetas virtuais. Continuo a crer que é possível. Mas é preciso mudar de guarda. Esperemos 2014.

## O poder em tempo de Facebook*

Eu já estava me preparando para apelar aos brasileiros e brasileiras a fim de assinarmos um texto enérgico, exigindo ação do Conselho de Segurança na Ásia, punição exemplar para o terrorismo islâmico e até um armistício na guerra dos Poderes entre nós. Vendo e ouvindo o noticiário desta semana, entretanto, tive a impressão (ou a ilusão) de que o risco da guerra atômica que a Coreia do Norte iria desencadear está afastado. O atentado em Boston foi coisa de americano naturalizado e não de terrorista da Al Qaeda. E o choque inevitável entre o Congresso e o STF terminou em abraços. Dei marcha atrás. Pude ler calmamente dois livros interessantes.

O primeiro foi o de Manuel Castells, *Redes de indignação e esperança*. Com precisão, vivacidade e enorme quantidade de informações, Castells passa em revista o que aconteceu na Islândia, em Túnis, no Egito, na Espanha (o movimento dos Indignados) e nos Estados Unidos, onde o movimento pela ocupação de espaços públicos, Occupy, teve certo vulto. Por trás desses protestos está o cidadão comum informado e conectado pelas

* Originalmente publicado nos jornais *O Estado de S. Paulo* e *O Globo*, em 5 de maio de 2013.

redes sociais e por toda sorte de modernas tecnologias de informação.

Havendo um clima psicossocial que as leve à ação e algum fator desencadeante, as pessoas podem sair do isolamento para se manifestar. Dependendo do fator (desemprego, autocracia e imolação de alguém como forma de protesto, em certos casos, ou perda de emprego e de esperança, noutros) as pessoas se mobilizam, juntam-se em grupos ou multidões e contestam o poder.

Como e por que o fazem? Para que as ações ocorram não bastam as tecnologias. É preciso uma chispa de indignação a partir de um ato concreto de alguém (ou de alguns). Mais importante do que a origem do protesto, entretanto, é a forma como ele se manifesta e se propaga. A imagem é central para permitir um contágio rápido, por sites como o YouTube ou o Facebook.

A chispa, entretanto, só ateia fogo e produz reações quando a ela se junta profunda desconfiança das instituições políticas com deterioração das condições materiais de vida. Frequentemente se adiciona também o sentimento de injustiça (com a desigualdade social, por exemplo, ou com a corrupção diante do descaso dos que mandam), que provoca um sentimento de ira, de indignação, geralmente proveniente de uma situação de medo que dá lugar a seu oposto, à ousadia. Passa-se, assim, do medo à esperança.

Estes protestos têm em comum dispensar líderes, manifestar-se pela ocupação de um espaço público e enfatizar a unidade do movimento e a autonomia dos atores. Costumam ser autorreflexivos e pouco programáticos.

"Portanto são movimentos sociais com o objetivo de mudar os valores da sociedade"; podem ter consequências eleitorais, mas não pretendem "mudar o Estado, nem se apoderar dele". Eles propõem uma nova utopia, a da autonomia das pessoas diante das instituições.

Nem por isso, entretanto, diz Castells, são opostos à democracia representativa. Apenas denunciam suas práticas tal como se dão hoje, com perda de legitimidade. A influência desses movimentos sobre a política é limitada (depende da abertura das instituições às negociações com os movimentos), mas eles expressam a "negação à legitimidade da classe política e a denúncia de sua submissão às elites financeiras".

O outro livro que li, *O fim do poder*, escrito por Moisés Naím, também trata do poder contemporâneo e das formas de sua contestação. Naím ressalta o gigantismo do poder — o *big state*, as grandes organizações econômicas internacionais etc. — e, simultaneamente, mostra que surgiram formas de micropoder capazes de minar as estruturas tradicionais de poder, as grandes organizações do Estado (Congressos, partidos, forças armadas). Uns vetam os outros e, ademais, a autonomia dos indivíduos e sua constante busca por espaço enfraquecem a capacidade do poder de se efetivar.

Assim como Castells, Naím reconhece a importância dos movimentos contestatórios contemporâneos e sabe que a perda de legitimidade dos que mandam está na origem das revoltas contra as democracias representativas. Com uma diferença: Naím aposta no reencontro entre o protesto explosivo — "apolítico", no sentido de ser indiferente à reconstrução do Estado e das instituições — e a renovação dos partidos e das instituições. Não perdeu a esperança no restabelecimento de elos entre a autonomia do indivíduo e a representação política nas instituições, inclusive nos partidos.

Castells tampouco menospreza o diálogo dos movimentos sociais com os líderes e movimentos institucionais reformistas. Contudo, tem maiores esperanças na mudança dos valores da sociedade pela pressão dos movimentos do que em uma mudança institucional forçada por eles. A mudança cultural torna-se, para Castells, condição para as mudanças políticas, enquanto Naím, em uma abordagem mais afim com a tradição clássica, crê na possibilidade da relegitimação das instituições políticas.

As consequências dessas análises para o nosso dia a dia são óbvias. Enquanto houver uma condição material razoável e um fluxo de informações que reflita mais o ânimo dos *grandes atores* (os Estados, os partidos, a briga institucional) será ilusório esperar que as pessoas passem da indignação (ou mesmo que haja tal sentimento) para a esperança.

Seria cegueira, contudo, imaginar que a roda da história parou e que nos faltará sempre indignação. Se os ganhos sociais propiciados pela estabilização forem erodidos pela inflação (ainda estamos distantes disto), o panorama pode mudar. Isso não ocorrerá sem um gesto político de recusa do jogo habitual de enganos. Melhor do que esperar por ele, contudo, será criar condições para evitar que os erros se repitam e diminuam mais ainda a legitimidade do poder.

# Tempos difíceis*

Já se disse tudo, ou quase tudo, sobre os atos públicos em curso. Para quem acompanha as transformações das sociedades contemporâneas, não surpreende a forma repentina e espontânea das manifestações. Em artigo publicado nesta coluna, há dois meses, resumi estudos de Manuel Castells e de Moisés Naím sobre as demonstrações na Islândia, na Tunísia, no Egito, na Espanha, na Itália e nos Estados Unidos.

As causas e os estopins que provocaram os protestos variaram: em uns a crise econômico-social deu ânimo à reação das massas; noutros, o desemprego elevado e a opressão política foram os motivos subjacentes aos protestos.

Tampouco as consequências foram idênticas. Em algumas sociedades onde havia o propósito específico de derrubar governos autoritários, o movimento conseguiu contagiar a sociedade inteira, obtendo sucesso. Resolver uma crise econômico-social profunda, como nos países europeus, torna-se mais difícil. Em certas circunstâncias, consegue-se até mesmo alterar instituições políticas, como na Islândia. Em todos os casos mencionados, os protestos

* Originalmente publicado nos jornais *O Estado de S. Paulo* e *O Globo*, em 7 de julho de 2013.

afetaram a conjuntura política e, quando não vitoriosos em seus propósitos imediatos, acentuaram a falta de legitimidade do sistema de poder.

Os fatos que desencadeiam esses protestos são variáveis e não necessariamente se prendem à tradicional motivação da luta de classes. Mesmo em movimentos anteriores, como a revolução de Maio de 1968 em Paris, que se originou do protesto estudantil *por um mundo melhor*, tratava-se mais de uma reação de jovens que alcançou setores médios da sociedade, sobretudo os ligados às áreas da cultura, do entretenimento, da comunicação social e do ensino, embora tivesse apoiado depois as reivindicações sindicais.

Algo do mesmo tipo se deu na luta pelas Diretas Já. Embora antecedida pelas greves operárias, ela também se desenvolveu a partir de setores médios e mesmo altos da sociedade, aparecendo como um movimento *de todos*. Não há, portanto, por que estranhar ou desqualificar as mobilizações atuais por serem movidas por jovens, sobretudo das classes médias e médias altas, nem muito menos de só por isso considerá-las como vindo *da direita*.

O mais plausível é que haja uma mistura de motivos, desde os ligados à má qualidade de vida nas cidades (transportes deficientes, insegurança, criminalidade), que afetam a maioria, até os processos que atingem especialmente os mais pobres, como dificuldade de acesso à educação e à saúde e, sobretudo, baixa qualidade de serviços públicos nos bairros onde moram e nos transportes urbanos. Na linguagem atual das ruas, é *padrão FIFA* para uns e padrão burocrático-governamental para a maioria. Portanto, desigualdade social.

E, no contexto, um grito parado no ar contra a corrupção (as preferências dos manifestantes por Joaquim Barbosa não significam outra coisa). O estopim foi o custo e a deficiência dos transportes públicos, com o complemento sempre presente da reação policial acima do razoável. Mas, se a fagulha provocou fogo foi porque havia muita palha no paiol.

A novidade, em comparação com o que ocorreu no passado brasileiro (nisso nosso movimento se assemelha aos europeus e norte-africanos), é que a mobilização se deu pela internet, pelos *twitters* e pelos celulares, sem intermediação de partidos ou organizações e, consequentemente, sem líderes ostensivos, sem manifestos, panfletos, tribunas ou tribunos. Correlatamente, os alvos dos protestos são difusos e não põem em causa de imediato o poder constituído, nem visam a questões macroeconômicas, o que não quer dizer que estes aspectos não permeiem a irritação popular.

Complicador de natureza imediatamente política foi o modo pelo qual as autoridades federais reagiram. Um movimento que era *local* — mexendo mais com os prefeitos e governadores — tornou-se nacional a partir do momento em que a presidente chamou a si a questão e qualificou-a primordialmente, no dizer de Joaquim Barbosa, como uma questão de falta de legitimidade. A tal ponto que o Planalto pensou em convocar uma Constituinte, e agora, diante da impossibilidade constitucional disto, pensa resolver o impasse por meio de plebiscito. Impasse, portanto, que não veio das ruas.

A partir daí o enredo virou outro: o da relação entre Congresso, Executivo e Judiciário e a disputa para ver quem encaminha a solução do impasse institucional, ou seja, quem e como se faz uma *reforma eleitoral e partidária*. Assunto importante e complexo, que, se apenas desviasse a atenção das ruas para os palácios do Planalto Central e não desnudasse a fragilidade destes, talvez fosse bom golpe de marketing. Mas não. Os titubeios do Executivo e as manobras no Congresso não resolvem a carestia, a baixa qualidade dos empregos criados, o encolhimento das indústrias, os gargalos na infraestrutura, as barbeiragens na Energia e assim por diante.

O foco nos aspectos políticos da crise, sem que se negue a importância deles, antes agrava do que soluciona o *mal-estar* criado pelos *malfeitos* na política econômica e na gestão do governo. O afunilamento de tudo em uma crise institucional (que embora em germe não amadurecera na consciência das pessoas) pode aumentar a crise, em lugar de superá-la.

A ver. Tudo dependerá da condução política do processo em curso e da paciência das pessoas diante de suas carências práticas, às quais o governo federal preferiu não dirigir preferencialmente a atenção. E dependerá também da evolução da conjuntura econômica. Esta revela a cada passo as insuficiências advindas do mau manejo da gestão pública e da falta de uma estratégia econômica condizente com os desafios de um mundo globalizado.

## Cartas na mesa*

Saí do Brasil depois que as manifestações populares haviam provocado um tsunami na avaliação dos principais dirigentes políticos. Na Europa, o noticiário repercute a recidiva da crise egípcia, a volta da incerteza na Tunísia, a continuidade trágica da guerra civil síria, os atentados sem-fim no Paquistão e no Afeganistão, enfim, uma rotina de tragédias pré-anunciadas que, vistas de longe, parecem *coisas do terceiro mundo.*

Enquanto isso, a China vai encolhendo sua economia, os Estados Unidos confiam na recuperação e a Europa se contorce em ajustes intermináveis. Do Brasil ecoam apenas os passos do papa, por vezes tocando o solo lamacento dos ermos para onde o levam em sua pregação.

De nossas aflições financeiras os mercados externos só eventualmente tratam, mas delas sempre se cuidam, retirando suas aplicações ao primeiro sinal de alarme. Do desabamento político, poucas referências há. Embora nenhuma crise de legitimidade tenha sido o gatilho do torvelinho popular, este terminou por mostrar que existe algo parecido com ela. Se de nossa política a mídia ocidental

* Originalmente publicado nos jornais *O Estado de S. Paulo* e *O Globo*, em 4 de agosto de 2013.

cuidasse, talvez visse que nem só na África e no Oriente Médio há um desencontro entre o poder e o povo.

Há algo que não está funcionando direito na política, mesmo nas partes mais longínquas do Ocidente, como a América do Sul. Há um elo nesse desarranjo: as sociedades urbanas de massas, agora hiperconectadas pela internet, sentem-se mal representadas pelos que as comandam. Isso vale tanto para nós, como para a Itália, a Espanha, a Grécia ou Portugal, assim como valeu para a Islândia ou pode vir a valer para outras regiões onde, além da crise de legitimidade política, choques culturais e religiosos acrescentem outra crise à de identidade.

Em nosso caso, como nos demais países ocidentais, o fator geral mais evidente que condiciona e possibilita o surgimento do mal-estar político deriva da grande crise financeira de 2007/2008. Mas seria enganoso pensar que basta retomar o ritmo do crescimento da economia e tudo se arranja. É melhor ter cautela e reconhecer que, uma vez visto o rei nu, sua magia se desfaz ou engana a menos incautos.

As novas formas de sociabilidade criadas pelos meios diretos de informação e comunicação estão a requerer revisão profunda no modo de se fazer política e nas instituições nas quais o poder se exerce. A desconfiança dos partidos e dos políticos é generalizada, embora não atinja o mesmo grau em todos os países nem as instituições desabem ou sejam incapazes de se aprimorarem. Até agora os efeitos construtivos da pressão popular sobre as instituições — salvo na Islândia — estão por ver-se. Mas basta haver eleições para que os governos (de esquerda, de direita ou o que mais sejam) caiam, como cairia o nosso, se as eleições fossem em breve.

A questão é complexa e há responsáveis políticos, em maior ou menor grau. Para começar, o governo Lula zombou da crise: era uma "marolinha" e seguiu funcionando, fagueiro, como se nada precisasse ser feito para ajustar o rumo. Houve, portanto, uma avaliação errada da conjuntura. Mas houve outras barbeiragens.

O lulopetismo, arrogante, colocou a lanterna na popa do barco e, rumando ao passado retomou as políticas dos tempos militares geiselianos, como se avançasse intrépido para o futuro. Tome subsídios para pobres e ricos, mais para esses do que para aqueles, mais sem razão ao ajudar os ricos do que os pobres. Perceberam tarde que o cobertor era curto, faltaria dinheiro. Se há problemas, tome maquiagem: o Tesouro se endivida, empresta dinheiro no mercado, repassa-o ao BNDES, que fornece os mesmos recursos aos empresários amigos do rei. Toma-se dinheiro a, digamos, 10% e se concede a 5%. Quem paga a farra: eu, você, os contribuintes todos e os consumidores, porque algo dessa mágica desemboca em inflação.

A maquiagem fiscal já não engana: mesmo o governo dizendo que sua dívida líquida não aumenta, os que sabem ler balanços veem que a dívida bruta aumenta, e os que investem ou emprestam, nacionais ou estrangeiros, aprenderam muito bem a ler as contas. Deixam de acreditar no governo. Mais ainda quando observam suas ginásticas para fingir que é austero e mantém o superávit primário.

Não é só. Em vez de preparar o Brasil para um futuro mais eficiente e decente, com regras claras e competitivas que incentivassem a produtividade, o *modelo* retrocedeu ao clientelismo, ao protecionismo governamental e à ingerência crescente do poder político na vida das pessoas e das empresas. E não apenas graças a características pessoais da presidente: a visão petista descrê da sociedade civil, atrela-a ao governo e ao partido, e transforma o Estado na mola exclusiva da economia.

Pior e inevitável, a corrupção, independentemente dos desejos de quem esteja no ápice, vem junto. Tal sistema não é novo, foi coroado lá atrás, ainda no primeiro mandato de Lula, quando se armou o mensalão. Também neste caso há responsáveis políticos e nem todos estão na lista dos condenados pelo Supremo.

Com ou sem consciência de seus erros, o petismo é responsável por muito do que aí está. Não por acaso seu líder supremo, depois de longo silêncio, ao falar foi claro: se identificou com as instituições que as ruas criticam e, como Macunaíma, aconselhou a presidente a fazer oposição a si mesma, como se governo não fosse...

Se as oposições pretenderem sobreviver ao cataclismo, a hora é agora. O Brasil quer e precisa mudar. Chegou o momento das vozes oposicionistas se comprometerem com um novo estilo de política e de assim procederem. Escutando e interpretando o significado do protesto popular. Sendo diretas e sinceras.

Basta de corrupção e de falsas manias de grandeza. Enfrentemos o essencial da vida cotidiana, dos transportes à saúde, à educação e à segurança, não para prometer o milagre da solução imediata, mas a transparência das contas, das dificuldades e dos propósitos. E não nos enganemos mais: ou nos capacitamos para participar e concorrer num mundo global áspero e em crise, ou nos condenaremos à irrelevância.

# Falando francamente*

Não é preciso muita imaginação nem entrar em pormenores para dar-nos conta de que atravessamos uma fase difícil no Brasil. Comecemos pelo plano internacional. Os acontecimentos abrem cada vez maiores espaços para a afirmação de influências regionais significativas. O próprio imbróglio do Oriente Médio, do qual os Estados Unidos saem com cada vez menos influência na região, aumenta a capacidade de atuação das monarquias do Golfo, que têm dinheiro e querem preservar seu autoritarismo, assim como a do Irã, que lhes faz contraponto. A luta entre wahabitas, xiitas e sunitas está por trás de quase tudo. E a Turquia, por sua vez, encontra brechas para disputar hegemonias.

Enquanto isso, nós só fazemos perder espaços de influência na América do Sul. Nossa diplomacia, paralisada pela inegável simpatia do lulopetismo pelo bolivarianismo, ziguezagueia e tropeça. Ora cedemos a pressões ilegítimas (como a recente da Bolívia, que não dava salvo-conduto a um asilado em nossa embaixada), ora nós próprios fazemos pressões indevidas, como no caso da retirada do Paraguai do Mercosul e da entrada da Venezuela. Ao

* Originalmente publicado nos jornais *O Estado de S. Paulo* e *O Globo*, em 1º de setembro de 2013.

mesmo tempo fingimos não ver que o "arco do Pacífico" é um contrapeso à inércia brasileira. Diplomacia e governo sem vontade clara de poder regional, funcionários atordoados e papelões por todo lado é o balanço.

Na questão energética, que dizer? A expansão das usinas está atrasada e sem apoio real do setor privado, salvo para construir as obras. Os caixas das empresas elétricas quebrados, graças a regulamentações que, mesmo quando necessárias, fazem-se atropeladamente e sem olhar para os interesses de longo prazo dos investidores e dos consumidores. A Petrobras, agora entregue a mãos mais competentes, mergulhada numa incrível escassez de créditos para investir e com o caixa abalado pela contenção do preço da gasolina.

O que fora estrepitosamente proclamado pelo presidente Lula, a autossuficiência em petróleo, esfumou-se no aumento do déficit das importações de gasolina. Agora, com a revolução americana do gás de xisto, quem sabe aonde irá parar o preço de equilíbrio do petróleo para ser extraído do pré-sal?

Na questão da infraestrutura, depois de uma década de atraso nos editais de concessão de estradas e aeroportos, além das tentativas malfeitas, o governo inovou: fazem-se privatizações, disfarçadas sob o nome de concessões, com oferta de crédito barato pelo governo as empresas privadas interessadas — dinheiro, diga-se, do BNDES (com juros subsidiados pelo contribuinte). E, ainda por cima, o governo se propõe a levar para a empreitada os bancos privados.

Sabe-se lá que vantagens terão de lhes ser oferecidas para que entrem no ritmo do PAC, isto é, devagar e malfeito. Nunca se viu coisa igual: concessões que recebem vantagens pecuniárias e nada rendem ao Tesouro, à moda das ferrovias cujos construtores receberiam abonos em dinheiro por quilômetro construído. Só mesmo na Macondo surrealista de Gabriel García Márquez. Espero que, aqui, a solidão de incapacidade executiva e má gestão financeira não dure cem anos...

Se passarmos para a gestão microeconômica, os vaivéns não são diferentes. A indústria, diziam, não exporta porque o câmbio está desfavorável. Agora tivemos uma megadesvalorização, de mais de 25%. Se nada fizermos para reduzir as deficiências e ineficiências estruturais da economia brasileira, e se o governo não tiver a coragem de evitar que a desvalorização se transforme em mais inflação, o novo patamar da taxa nominal de câmbio de pouco adiantará para a indústria.

Antes os governistas se gabavam da baixa de juros ("ah, esses tucanos, sempre de mãos dadas aos juros altos!", diziam). De repente é o governo do PT quem comanda nova arrancada dos juros. E nem assim aprendem que não é a vontade do governante quem dita regras nos juros, mas muitas vontades contraditórias que se digladiam no mercado. Olhar no umbigo, isto não.

Já cansei de escrever sobre esses males e outros mais. Das deficiências sobre prestar serviços nas áreas de educação, saúde e segurança, a mídia dá-nos conta todos os dias. Dos desatinos da vida político-partidária, então, nem se fale. Basta ver o último deles, a manutenção na Câmara de um deputado condenado pelo Supremo e já na cadeia! Não obstante, dada a amplitude dos desarranjos, parece inevitável reconhecer que a questão central é de liderança.

Não digo isso para acusar uma pessoa (sempre o mais fácil é culpar a presidente ou o governo) ou algum partido especificamente, embora seja possível identificar responsabilidades. Mas é de justiça reconhecer que o desencontro, o bater de cabeças dentro e entre os partidos faz mais zoeira do que gera caminhos.

Daí que termine com uma pergunta ingênua: será que não dá para um *mea culpa* coletivo e tentar, mantendo as diferenças políticas, e mesmo ideológicas, perceber que quando o barco afunda vamos todos juntos, governo e oposição, empregados e empregadores, os que estão no leme e os que estão acomodados na popa?

É preciso grandeza para colocar os interesses de longo prazo do povo e do país acima das desavenças e pactuar algumas reformas (poucas, não muitas, parciais, não globais) capazes de criar um horizonte melhor, começando pela partidário-eleitoral (já que o ucasse presidencial nesta matéria não deu certo, como não poderia dar).

Se os que estão à frente do governo não têm a visão ou a força necessária para falar com e pelo país, pelo menos a oposição poderia desde já cessar as rixas internas a cada partido e limar as diferenças entre os partidos. Só assim, formando um bloco confiável, com visão estratégica e capaz de seguir caminhos práticos, construiremos uma sociedade mais próspera, decente e equânime.

## Sem complacência*

As notícias da semana que terminou não foram auspiciosas, nem no plano internacional, nem no local. Uma decisão da Corte Suprema da Argentina, sob forte pressão do governo, sancionou uma lei que regula a concessão de meios de comunicação. Em tese, nada de extraordinário haveria em fazê-lo. No caso, entretanto, trata-se de medida tomada especificamente contra o grupo que controla o jornal *El Clarín*, ferrenho adversário do kirschnerismo. Cerceou um grupo de comunicação opositor ao governo, sob pretexto de assegurar pluralidade nas normas de concessão. Há, contudo, tratamento privilegiado para o Estado e para as empresas amigas do governo.

Da Venezuela, vem-nos uma patuscada incrível: as cidades do país apareceram cobertas de cartazes contra a *trilogia do mal*, ou seja, os principais líderes opositores, aos quais se debitam as falências do governo! Seria por causa deles que há desabastecimento, falta de energia e crise de divisas, além da inflação. Tudo para incitar ódio popular aos adversários políticos do governo, apresentando-os como inimigos do povo.

---

* Originalmente publicado nos jornais *O Estado de S. Paulo* e *O Globo*, em 3 de novembro de 2013.

O lamentável é que os governos democráticos da região assistem a tudo isso como se fosse normal e como se as eleições majoritárias, ainda que com acusações de fraudes, fossem suficientes para dar o passaporte democrático a regimes que são coveiros das liberdades.

No Brasil, também há sinais preocupantes. Às manifestações espontâneas de junho se têm seguido demonstrações de violência, desconectadas dos anseios populares, que paralisam a vida de milhões de pessoas nas grandes cidades. A essas se somam às vezes atos violentos da própria polícia. Com isso, deixa-se de ressaltar que nem toda ação coercitiva da polícia ultrapassa as regras da democracia. Pelo contrário, se nas democracias não houver autoridade legítima que coíba os abusos, esses minam a crença do povo na eficácia do regime e preparam o terreno para aventuras demagógicas de tipo autoritário.

Temos assistido ao encolhimento do Estado diante da fúria de vândalos, aos quais aderem agora facções do crime organizado. Por isso é de lamentar que o secretário-geral da Presidência se lamurie pedindo mais "diálogo" com os Black Blocs, como se eles ecoassem as reivindicações populares. Não: eles expressam explosões de violência anárquica desconectada de valores democráticos, uma espécie de magma de direita, ao estilo dos movimentos que existiram no passado no Japão e na Alemanha pós-nazista.

Estes atos vandálicos dão vazão de modo irracional ao mal-estar que se encontra disseminado, principalmente nas grandes cidades, como produto da insensatez da ocupação do espaço urbano com pouca ou nenhuma infraestrutura e baixa qualidade de vida para uma aglomeração de pessoas em rápido crescimento. O acesso caótico aos transportes, o abastecimento de água deficiente e a rede de serviços (educação, saúde e segurança) insuficiente não atendem as crescentes demandas da população. Sem mencionar que a corrupção escancarada irrita o povo.

Não é de estranhar que, conectados aos meios de comunicação, que tudo informam, os cidadãos queiram dispor de serviços de países avançados ou de *padrão FIFA*, como dizem. Sendo assim, mesmo que a situação de emprego e salário não seja ruim, a qualidade de vida é insatisfatória. Quando, ainda por cima, a propaganda do governo apresenta um mundo de conto da carochinha e o cotidiano é outro, muito mais pesado, explicam-se as manifestações, mas não se justificam os vandalismos.

Menos ainda quando o crime organizado se aproveita deste clima para esparramar terror e coagir as autoridades a não fazer o que deve ser feito. Estas precisam assumir suas responsabilidades e atuar construtivamente. É necessário dialogar com as manifestações espontâneas, conectadas pela internet, e dar respostas às questões de fundo que dão motivos aos protestos. A percepção de onde o calo aperta pode sair do diálogo, mas as soluções dependem da seriedade, da competência técnica, do apoio político e da visão dos agentes públicos.

Os governos petistas puseram em marcha uma estratégia de alto rendimento econômico e político imediato, mas com pernas curtas e efeitos colaterais negativos a prazo mais longo. O futuro chegou, na esteira da falta de investimento em infraestrutura, do estímulo à compra de carros, do incentivo ao consumo de gasolina (em detrimento do etanol) e do gasto das famílias via crédito fácil, empurrado pela Caixa Econômica Federal. Os reflexos aparecem nas grandes cidades pelo país afora: congestionamentos, transporte público deficiente, aumento do nível de poluição atmosférica etc.

De repente caiu a ficha do governo: tudo pela infraestrutura, na base da improvisação e da irresponsabilidade fiscal. Primeiro o governo federal subtraiu receitas de estados e municípios para cobrir de incentivos a produção e compra de carros. Depois, em vista do *caos urbano* e da proximidade das eleições, afagou governadores e prefeitos, permitindo-lhes a contratação de novos empréstimos, sobretudo para gastos em infraestrutura.

A mão que os afaga é a mesma que apedreja a Lei de Responsabilidade Fiscal, ferida gravemente pela destruição de uma de suas cláusulas pétreas: a vedação ao refinanciamento de dívidas dentro do setor público. Mais uma medida, esta especialmente funesta, que alegra o presente e compromete o futuro.

Não haverá solução isolada e pontual para os problemas que o país atravessa, e as grandes cidades sentem mais do que quaisquer outras. Os problemas estão interconectados, assim como as manifestações e as demandas. Não basta melhor infraestrutura se o crime organizado continua a campear, nem mais hospitais e escolas se a qualidade da saúde e da educação não melhora.

As soluções terão de ser iluminadas por uma visão nova do que queremos para o Brasil. Precisamos propor um futuro não apenas materialmente mais rico, mas mais decente e de melhor qualidade humana. Quem sabe assim possamos devolver aos jovens e a todos nós causas dignas de serem aceitas, que sirvam como antídoto aos impulsos vândalos e à complacência com eles.

# Sinais alarmantes*

Finalmente fez-se justiça no caso do mensalão. Escrevo sem júbilo: é triste ver na cadeia gente que em outras épocas lutou com desprendimento. Estão presos ao lado de outros que se dedicaram a encher os bolsos ou a pagar suas campanhas à custa do dinheiro público. Mais melancólico ainda é ver pessoas que outrora se jogavam por ideais — mesmo que controversos — erguerem os punhos como se vivessem uma situação revolucionária, no mesmo instante em que juram fidelidade à Constituição.

Onde está a revolução? Gesticulam como se fossem Lênins: receberam dinheiro sujo e o usaram para construir a *nova sociedade*. Nada disso: apenas ajudaram a cimentar um bloco de forças que vive da mercantilização da política e do uso do Estado para perpetuar-se no poder. De pouco serve a encenação farsesca, a não ser para confortar quem a faz e enganar a seus seguidores mais crédulos

Basta de tanto engodo. A condenação pelos crimes do mensalão se deu em plena vigência do estado de direito, em um momento no qual o Executivo é exercido pelo Partido dos Trabalhadores, cujo governo indicou a maioria

* Originalmente publicado nos jornais *O Estado de S. Paulo* e *O Globo*, em 1º de dezembro de 2013.

dos ministros do Supremo. Não houve desrespeito às garantias legais dos réus e ao devido processo legal. Então por que a encenação? O significado é claro: eleições à vista. É preciso mentir, autoenganar-se e repetir o mantra. Não por acaso a direção do PT amplifica a encenação e Lula diz que a melhor resposta à condenação dos mensaleiros é reeleger Dilma Rousseff...

Tem sido sempre assim, desde a apropriação das políticas de proteção social até a ideia esdrúxula de que a estabilização da economia se deveu ao governo do PT. Esqueceram as palavras iradas que disseram contra o que hoje gabam e as múltiplas ações que moveram no Supremo para derrubar as medidas saneadoras. O que conta é a manutenção do poder.

Em toada semelhante o mago do ilusionismo fez coro. Aliás, neste caso, quem sabe, um lapso verbal expressou sinceridade: "Estamos juntos", disse Lula. Assumiu meio de raspão sua fatia de responsabilidade, ao menos em relação a companheiros a quem deve muito. E ao país, o que dizer?

Reitero, escrevo tudo isso com melancolia, não só porque não me apraz ver gente na cadeia, embora reconheça a legalidade e a necessidade da decisão, mas principalmente porque tanto as ações que levaram a tão infeliz desfecho como a cortina de mentiras que alimenta a aura de heroicidade fazem parte de amplo processo de alienação que envolve a sociedade brasileira.

São muitos os responsáveis por ela, não só os petistas. Poucos têm tido a compreensão do alcance destruidor dos procedimentos que permitem reproduzir o bloco de poder hegemônico; são menos numerosos ainda os que têm tido a coragem de gritar contra essas práticas. É enorme o arco de alianças políticas no Congresso cujos membros se beneficiam por pertencer à *base aliada* de apoio ao governo. Calam-se diante do mensalão e demais transgressões, como se o "hegemonismo petista" que os mantém seja compatível com a democracia.

Que dizer então da parte da elite empresarial que se ceva dos empréstimos públicos e emudece diante dos malfeitos do petismo e de seus acólitos? Ou da outrora combativa liderança sindical, hoje acomodada nas benesses do poder?

Nada há de novo no que escrevo. Muitos sabem que o rei está nu, e poucos bradam. Daí a descrença sobre a elite política reinante na opinião pública mais esclarecida. Quando alguém dá o nome aos bois — como, no caso, o ministro Joaquim Barbosa, que estruturou o processo e desnudou a corrupção —, teme-se que ao deixar a presidência do STF a onda moralizante dê marcha à ré. É evidente, pois, a descrença nas instituições. A tal ponto que se crê mais nas pessoas, sem perceber que por este caminho voltaremos aos salvadores da pátria. São sinais alarmantes.

Os seguidores do lulopetismo, por serem crédulos, talvez sejam menos responsáveis pela situação a que chegamos do que os cínicos, os medrosos, os oportunistas, as elites interesseiras que fingem não ver o que está à vista de todos. Que dizer então das práticas políticas? Não dá mais!

Estamos a ver as manobras preparatórias para mais uma campanha eleitoral sob o signo do embuste. A candidata oficial, pela posição que ocupa, tem cada ato multiplicado pelos meios de comunicação. Como o exercício do poder se confundiu, na prática, com a campanha eleitoral, entramos já em período de disputa. Disputa desigual, na qual só um lado fala e as oposições, mesmo que berrem, não encontram eco. E, sejamos francos: estamos berrando pouco.

É preciso dizer com coragem, simplicidade e de modo direto, como fizeram alguns ministros do Supremo, que a democracia não se compagina com a corrupção nem com as distorções que levam ao favorecimento dos amigos.

Não estamos diante de um quadro eleitoral normal. A hegemonia de um partido que não consegue se deslindar de crenças salvacionistas e autoritárias, o acovardamento de outros e a impotência das oposições estão permitindo a montagem de um sistema de poder que, se duradouro, acarretará riscos de regressão irreversível.

Escudado nos cofres públicos, o governo do PT abusa do crédito fácil que agrada não só os consumidores, mas em volume muito maior, os audaciosos que montam suas estratégias empresariais nas facilidades dadas aos amigos do rei. A infiltração dos órgãos de Estado pela militância ávida e por oportunistas que querem se beneficiar do Estado distorce as práticas republicanas.

Tudo isso é arquissabido. Falta dar um basta aos desmandos, processo que, numa democracia, só tem um caminho: as urnas. É preciso desfazer na consciência popular, com sinceridade e clareza, o manto de ilusões com que o lulopetismo vendeu seu peixe. Com a palavra as oposições e quem mais tenha consciência dos perigos que corremos.

# 2014

# Mudar o rumo*

Ano-novo, esperanças de renovação. Mas como? Só se mudarmos o rumo. A começar pela visão sobre o mundo que ressurgirá da crise de 2007/2008. O governo petista, sem o dizer, colocou suas fichas no *declínio do Ocidente*. Da crise surgiria uma nova situação de poder na qual os Brics, o mundo árabe e o que pudesse se assemelhar ao ex-terceiro mundo teriam papel de destaque.

A Europa, abatida, faria contraponto aos Estados Unidos minguantes. Não é o que está acontecendo: os norte-americanos saíram à frente, depois de umas quantas estripulias para salvar seu sistema financeiro e afogar o mundo em dólares, e deram uma arrancada forte na produção de energia barata. O mundo árabe, depois da Primavera, continua se estraçalhando entre xiitas, sunitas, militares, seculares, talibãs e o que mais seja; a Rússia passou a ser produtora de matérias-primas. Só a China foi capaz de dar ímpeto à sua economia.

Provavelmente as próximas décadas serão de *coexistência competitiva* entre os dois gigantes, Estados Unidos e China, com partes da Europa integradas ao sistema

* Originalmente publicado nos jornais *O Estado de S. Paulo* e *O Globo*, em 5 de janeiro de 2014.

produtivo americano e com as potências emergentes, inclusive nós, o México, a África do Sul e tantas outras, buscando espaços de integração comercial e produtiva para não perderem relevância.

Nessa ótica, é óbvio que a política externa brasileira precisará mudar de foco, abrir-se ao Pacífico, estreitar relações com os Estados Unidos e a Europa, fazer múltiplos acordos comerciais, não temer a concorrência e ajudar o país a se preparar para ela. O Brasil terá de voltar a assumir seu papel na América Latina, hoje diminuído pelo bolivarianismo prevalecente em alguns países e pelo Arco do Pacífico, com o qual devemos nos engajar, pois não deve nem pode ser visto como excludente do Mercosul.

Não devemos ficar isolados em nossa região, hesitantes quanto ao bolivarianismo, abraçados às irracionalidades da política argentina, que tomara se reduzam, e pouco preparados em face da investida americana no Pacífico.

Para que exportemos mais e para dinamizar nossa produção para o mercado interno, a ênfase dada ao consumo precisará ser equilibrada por maior atenção ao aumento da produtividade, sem redução dos programas sociais e demais iniciativas de integração social. A promoção do aumento da produtividade, no caso, não se restringe ao interior das fábricas, abrange toda a economia e a sociedade.

Na fábrica, depende das inovações e do entrosamento com as cadeias produtivas globais, fonte de renovação. Na economia, depende de um ousado programa de ampliação e renovação da infraestrutura e, na sociedade, de maior atenção à qualificação das pessoas (educação) e às suas condições de saúde, segurança e transporte. Sem dizer que já é hora de abaixar os impostos sem selecionar setores beneficiários e de abrir mais a economia, sem temer a competição.

Isso tudo em um contexto de fortalecimento das instituições e práticas democráticas e de redefinição das relações entre o governo e a sociedade, entre o Estado e o mercado. Será necessário despolitizar as agências reguladoras, robustecê-las, estabilizar os marcos regulatórios, revigorar e estimular as parcerias público/privado para investimentos fundamentais.

Noutros termos, fazer com competência o que o governo petista paralisou nos últimos dez anos e que o atual governo, de Dilma Rousseff, vê-se obrigado a fazer, mas o faz atabalhoadamente, abusando do direito de aprender por ensaios e erros, deixando no ar a impressão de amadorismo e a dúvida sobre a estabilidade das regras do jogo. Com isso, não se mobilizam, no setor privado, os investimentos na escala e na velocidade necessárias para o país dar um salto em matéria de infraestrutura e produtividade.

Mordido ainda pelo DNA antiprivatista e estatizante, persiste o governo atual nos erros cometidos na definição do modelo de exploração do pré-sal. A imposição de que a Petrobras seja operadora única e responda por pelo menos 30% da participação acionária em cada consórcio, somada ao poder de veto dado à Pré-Sal Petróleo S.A. nas decisões dos comitês operacionais, afugenta número maior de interessados nos leilões do pré-sal, reduz o potencial de investimento em sua exploração e diminui os recursos que o Estado poderia obter com decantado regime de partilha. É ruim para a Petrobras e péssimo para o país.

Além de insistir em erros palmares, o atual governo faz contorcionismo verbal para negar que concessões sejam modalidades de privatização. É patético. Também para negar a realidade, desdobra-se em explicações sobre a inflação, que só não está fora da meta porque os preços públicos estão artificialmente represados, e sobre a solidez das contas públicas, objeto de declarações e contabilidades oficiais às vezes criativas, não raro desencontradas, em geral divorciadas dos fatos.

Tão necessário quanto recuperar o tempo perdido e acertar o passo nas obras de infraestrutura, será desentranhar da máquina pública e, sobretudo, das empresas estatais (felizmente nem todas cederam à sanha partidária), os nódulos de interesses privados e/ou partidários que dificultam a eficiência e facilitam a corrupção. Não menos necessário será restabelecer o sentido de serviço público nas áreas sociais, da educação, saúde e reforma agrária, resguardando-as do uso para fins eleitorais, partidários ou corporativos.

Só revalorizando a meritocracia e com obsessão pelo cumprimento de metas o Brasil dará o salto que precisa na qualidade dos serviços públicos. Com uma carga tributária de 36% do PIB, recursos não faltam. Falta uma cultura de planejamento, cobrança por desempenho e avaliação de resultados, sem "marketismo". Ou alguém acredita que mantido o sistema de cooptação, barganhas generalizadas, corrupção, despreparo administrativo e voluntarismo, enfrentaremos com sucesso o desafio?

É preciso redesenhar a rota do país. Dois terços dos entrevistados em recentes pesquisas eleitorais dizem desejar mudanças no governo. Há um grito parado no ar, um sentimento difuso, mas que está presente. Cabe às oposições expressá-lo e dar-lhe consequências políticas. É a esperança que tenho para 2014 e são meus votos para que o ano seja bom.

# Mudar, com pé no chão e visão de futuro*

As pesquisas eleitorais estão a indicar que os eleitores começam a mostrar cansaço. Fadiga de material. Há doze anos o lulopetismo impõe um estilo de governar e de se comunicar que, se teve êxito como propaganda, demonstra agora fragilidade. Toda a comunicação política foi centralizada, criou-se uma rede eficaz de difusão de versões e difamações oficiais pelo país afora, os assessores de comunicação e blogueiros distribuem comunicados e conteúdos a granel (pagos pelos cofres públicos e pelas empresas estatais) e se difundiu o "Brasil maravilha", que teria começado em 2002.

Ocorre que a realidade existe e que às vezes se produz o que os psicólogos chamam de *incongruências cognitivas*. Enquanto os efeitos das políticas de distribuição de renda (criadas pelos tucanos) eram novidade e a situação fiscal permitia aumentos salariais sem acarretar consequências negativas na economia, tudo bem. O cântico de louvor da propaganda encontrava eco na percepção da população.

Desde as manifestações de junho passado, que pegaram governo, oposição e sociedade de surpresa, deu para

* Originalmente publicado nos jornais *O Estado de S. Paulo* e *O Globo*, em 2 de fevereiro de 2014.

ver que nem tudo ia bem. A insatisfação estava nas ruas, a despeito das melhorias inegáveis do consumo popular e de alguns avanços na área social. É que a própria dinâmica da mobilidade social e da melhoria de vida, e principalmente o aumento da informação, geram novas disposições anímicas. As pessoas têm novas aspirações e veem criticamente o que antes não percebiam. Começam a desejar melhor qualidade, mais acesso aos bens e serviços e menos desigualdade.

O estopim imediato da reação popular foram os gastos da Copa, o custo do transporte, a ineficiência, a carestia e a eventual corrupção nas obras públicas. Ao lado disso, a péssima qualidade do transporte urbano, da saúde, da educação, da segurança, tudo de cambulhada.

Nada é novo, nem a reação provocada por este mal-estar se orientou, de início, contra um governo específico ou contra um partido. Significou o rechaço de tudo que é autoridade. Na medida em que o governo federal reagiu propondo *pactos*, que não deslancharam, e vestiu a carapuça, a tonalidade política mudou um pouco. Mas o rescaldo dos protestos — e não nos esqueçamos que eles têm causas — foi antes a criação de um vago sentimento mudancista do que um movimento político com consciência sobre o que se quer mudar.

Os donos do poder e da publicidade se aperceberam da situação, e se aprestam para apresentarem-se com máscaras novas. Só que talvez a população queira eleger gente com maior capacidade organizacional e técnica, que conheça os nós que apertam o país e saiba como desatá-los.

Esta será a batalha eleitoral do ano em curso. O petismo, solidário com os condenados do mensalão a ponto de coletar "vaquinhas" para pagar as dívidas dos condenados, porá em marcha seus magos para dizer aos eleitores que são capazes da renovação.

E a oposição? Terá de desmascarar com firmeza, simplicidade e clareza truque por truque do adversário e, principalmente, deverá mostrar um caminho novo e convencer os eleitores de que só ela sabe trilhá-lo. Os erros da máquina pública, seu custo escorchante, a incompetência política e administrativa estão dando show no dia a dia. As falhas aparecem nas pequenas coisas como na confusão armada a partir de uma simples parada da comitiva presidencial em Lisboa, e nas mais graves, como o inexplicável sigilo dos gastos do Tesouro para financiar obras em *países amigos*.

Isso abriu espaço, por exemplo, para o futuro candidato do PSDB dizer, com singeleza: "Uai, pena que a principal obra da presidente Dilma tenha sido feita em Cuba e não no Nordeste, tão carente de infraestrutura." Eu sei que há razões estratégicas a motivar tais decisões. Mas na linguagem das eleições o povo quer saber "quanto do meu foi para o outro". E disto se trata: em quem o eleitor vai confiar mais para que suas expectativas, valores e interesses sejam atendidos.

Daí que a oposição deverá se concentrar no que aborrece o povo no cotidiano, sem desconhecer os erros macroeconômicos, que não são poucos.

Quanto à insegurança causada pela violência e o banditismo, é preciso reprimi-los e está na hora de o PSDB apresentar um plano bem embasado de construção de penitenciárias modernas, inclusive algumas sob a forma de parcerias público/privado, como foi feito em Minas Gerais. É o momento para: refazer a lei de execuções penais e incentivar os mutirões que tirem das prisões quem já cumpriu pena, como também pôr fim, como está fazendo São Paulo, às cadeias em delegacias e, ainda, incentivar os juízes à adoção de penas alternativas.

Não será possível, sem negar eventuais benefícios de mais médicos, mostrar que a desatenção às pessoas, as filas nos hospitais, a demora na assistência aos enfermos, nada mudou? E que isso se deve à incompetência e à penetração de militantes partidários na máquina pública?

Por que não mostrar que o festejado programa Minha Casa, Minha Vida tem um desempenho ruim quando se trata de moradias para a camada de trabalhadores também pobres, mas cuja renda ultrapassa a dos menos aquinhoados, teoricamente atendidos pelo programa? Sobra uma enorme parcela da população trabalhadora sem acesso à casa própria, tendo de pagar aluguéis abusivos.

Isso para não falar de um estilo de governo mais simples, mais honesto, que diga a verdade, mostre os problemas e não se fie no estilo "Brasil maravilha". De um governo mais poupador de impostos, reduzindo-os para todos, e não apenas para beneficiar as empresas *campeãs* ou *estratégicas*.

As oposições precisam ser mais específicas e mostrar como reduzirão os absurdos 39 ministérios, como eliminarão o inchaço de funcionários e fortalecerão critérios profissionais para as nomeações. Também chegou a hora de uma reforma política e eleitoral. Não dá para governar com trinta partidos, dos quais boa parte não passa de legenda de aluguel.

Em suma, está na hora de mudar, e quem tem a boca torta pelo cachimbo da conivência com a corrupção, o desperdício e a incompetência administrativa, por mais que faça mímica, não é capaz dessa proeza. O passado recente teve suas virtudes, mas se esgotou. Construamos um futuro de menos arrogância, com realismo e competência, que nos leve a dias melhores.

## Sem mistificações*

Quando me empenhei em fazer algumas reformas e modernizar a estrutura produtiva do Brasil, tanto das empresas privadas quanto das estatais, não o fiz movido por caprichos ou por subordinação ideológica. Tratava-se pura e simplesmente de adequar a produção brasileira e o desempenho do governo aos novos tempos (sem discutir se bons ou maus, melhores ou piores do que experiências de tempos passados).

Eram, como ainda são, tempos de globalização, impulsionados por novas tecnologias de comunicação e informação, como a internet, e por avanços nos sistemas de transporte, como os contêineres, que permitiram maximizar os fatores produtivos à escala mundial. Daí por diante a produção se espalhou pelo mundo, independentemente do local de origem do capital. Os mecanismos financeiros, por sua vez, englobaram todos os mercados, interligados por computadores.

Nas novas condições mundiais, ou o Brasil se integrava competitiva e, tanto quanto possível, autonomamente aos fluxos produtivos do mercado, ou pereceria no isolamento

---

* Originalmente publicado nos jornais *O Estado de S. Paulo* e *O Globo*, em 6 de abril de 2014.

e em desvantagem competitiva, pelo atraso tecnológico e pela ineficiência da máquina pública. As privatizações foram apenas parte do processo modernizador. Importante da mesma forma foi a transformação do setor produtivo estatal. O objetivo era transformar as empresas do Estado em companhias públicas, submetidas a regras de governança, fora do controle dos interesses político-partidários, capazes de competir e de se beneficiar das dinâmicas do mercado.

A zoeira das oposições, Lula e PT à frente, foi enorme. Acusavam o governo de seguir políticas *neoliberais* e de ser submisso ao *Consenso de Washington*. A cada leilão para exploração de um campo de petróleo (especialmente daquele onde se veio a descobrir óleo no pré-sal) choviam protestos e mobilizações de *organizações populares*, bem como ações na Justiça para paralisar as decisões.

Com igual ou maior vigor, as oposições e os setores da sociedade que ainda não se haviam dado conta das transformações pelas quais passava a economia global protestavam contra as concessões de serviço público, como no caso da telefonia, e iam ao desespero quando se tratava de privatizar uma companhia como a Vale do Rio Doce ou as siderúrgicas (que, aliás, foram privatizadas nos governos Sarney e Itamar).

Alegava-se que as empresas eram vendidas na bacia das almas, por preços irrisórios. Na verdade, no caso da telefonia, venderam-se 20% de suas ações, as que garantiam seu controle, por R$ 22 bilhões, preço que superou em mais de 60% o valor mínimo estabelecido, Além disso, a privatização permitiu um grande volume de investimentos nos anos seguintes, sem falar do salto tecnológico e do aumento de produção que as privatizações renderam ao país. Passamos, por exemplo, de 2 milhões de celulares nos anos 1990 a 260 milhões hoje em dia.

Dizia-se que as privatizações reduziriam os empregos, quando houve uma expansão extraordinária deles. Que a Vale estava sendo trocada por nada, quando foi difícil encontrar contendores no leilão porque seu valor, na época, parecia elevado, e se hoje vale bilhões, foi porque houve investimento e ação empresarial competente (diga-se, de passagem, em impostos, hoje, a Vale paga muito mais ao governo, por ano, do que pagava em dividendo quando era uma estatal). A Embraer, de quase falida, passou a ser uma das maiores empresas do mundo.

Isso tudo foi paralisado a partir do governo Lula, no afã de manter a pecha sobre o governo anterior de "vendedor do patrimônio nacional" e de neoliberal. Nada de concessões, privatizações nem modernização que cheirasse a globalização. Enquanto os ventos do mundo favoreceram a valorização das commodities agrominerais, graças à China, e houve abundância de dólares, a máquina econômica rodou a todo vapor e deu a ilusão de que bastaria expandir o crédito, baixar os juros, e incentivar o consumo para o PIB crescer e o bem-estar se generalizar.

A crise financeira global de 2007/2009 ensejou ao governo Lula a oportunidade, bem aproveitada, de fazer políticas anticíclicas, com resultados positivos. Terminados os efeitos mais dramáticos da crise, os governos de

Lula e Dilma fizeram uma leitura equivocada: estava dada a licença para enterrar o passado recente dos anos 1990 e aderir sem rebuços ao populismo econômico: mais Estado, mais impostos, menos juros, mais salários, mais consumo e às favas com as concessões e modernizações, às favas com o papel regulador do Estado — pelas Agências —, em relação ao mercado.

Deu no que deu. O governo Dilma, premido pelas dificuldades de fazer a máquina pública andar e pela sociedade, que exige melhor qualidade dos serviços, redescobriu as concessões (ah! mas não são privatizações, dizem, como se outra coisa tivesse sido feito com as telefônicas...). E as faz malfeitas: pouco dinheiro privado e muito crédito público.

Dá-se conta agora de que a retomada das empresas estatais pelos partidos, como se vê na Petrobras e na Caixa, bem como o uso abusivo do BNDES, deu maus resultados. E ainda houve uma perda bilionária de recursos, criaram-se novos "esqueletos" (dívidas não reconhecidas publicamente) e contabilidades criativas impostas para esconder as transferências de recursos não declaradas no orçamento.

Como deve estar arrependida a presidente Dilma, no caso da Petrobras, de não se haver desembaraçado do ônus político legado por seu antecessor, que permitiu ao interesse privado e político penetrar a fundo nas empresas estatais...

Apesar de tudo, PT e governo já estão se preparando para enganar o povo na próxima campanha eleitoral fazendo-se de defensores do interesse popular, como se esse se confundisse com estatização e hegemonia partidária, e estigmatizando os adversários como representantes das elites e fiadores dos interesses internacionais.

Cabe às oposições desmistificar tanto engodo, tomando à unha o pião dos escândalos da Petrobras, rechaçando a pecha ideológica de "neoliberal", e reafirmando a urgência de mudar os critérios de governança das estatais.

## A que ponto chegamos!*

Eu, como boa parte dos leitores de jornal, nem aguento mais ler as notícias que entremeiam política com corrupção. É um sem-fim de escândalos. Algumas vezes, mesmo sem que haja indícios firmes, os nomes dos políticos aparecem enlameados. Pior, de tantos casos com provas veementes de envolvimento em "malfeitos" basta citar alguém para que o leitor se convença de imediato de sua culpabilidade. A sociedade já não tem mais dúvidas: se há fumaça, há fogo.

Não escrevo isso para negar responsabilidade de alguém especificamente, nem muito menos para amenizar eventuais culpas dos que se envolveram em escândalos, nem tampouco para desacreditar de antemão as denúncias. Os escândalos jorram em abundância, não dá para tapar o sol com a peneira. O da Petrobras é o mais simbólico, dado o apreço que todos temos pelo que a companhia fez para o Brasil.

Escrevo porque os escândalos que vêm aparecendo numa onda crescente são sintomas de algo mais grave: é o próprio sistema político atual que está em causa, nota-

* Originalmente publicado nos jornais *O Estado de S. Paulo* e *O Globo*, em 4 de maio de 2014.

damente suas práticas eleitorais e partidárias. Nenhum governo pode funcionar na normalidade quando atado a um sistema político que permitiu a criação de mais de trinta partidos, dos quais vinte e poucos com assento no Congresso.

A criação pelo governo atual de 39 ministérios para atender às demandas dos partidos é prova disso e, ao mesmo tempo, é garantia de insucesso administrativo e da conivência com práticas de corrupção, apesar da resistência a estas práticas por alguns membros do governo.

Não quero atirar a primeira pedra, mesmo porque muitas já foram lançadas. Não é de hoje que as coisas funcionam dessa maneira. Mas a contaminação da vida político-administrativa foi-se agravando até chegarmos ao ponto a que chegamos. Se no passado nosso sistema de governo foi chamado de "presidencialismo de coalisão", agora ele é apenas um "presidencialismo de cooptação".

Eu nunca entendi a razão pela qual o governo Lula fez questão de formar uma maioria tão grande e pagou o preço do mensalão. Ou melhor, posso entendê-la: é porque o PT tem vocação de hegemonia. Não vê a política como um jogo de diversidade no qual as maiorias se compõem para fins específicos, mas sem a pretensão de absorver a vida política nacional sob um comando centralizado.

Meu próprio governo precisou formar maiorias. Mas havia um objetivo político claro: precisávamos de três quintos da Câmara e do Senado para aprovar reformas constitucionais necessárias à modernização do país. Ora, os governos que me sucederam não reformaram nada nem precisaram de tal maioria para aprovar emendas constitucionais. Deixaram-se levar pela dinâmica dos interesses partidários.

Não só do partido hegemônico no governo, o PT, nem dos maiores, como o PMDB, mas de qualquer agregação de vinte, trinta ou quarenta parlamentares, às vezes menos, que, para participar da "base de apoio", organizam-se numa sigla e pleiteiam participação no governo: um ministério, se possível; senão uma diretoria de empresa estatal ou uma repartição pública importante. Daí serem precisos 39 ministérios para dar cabida a tantos aderentes. No México do PRI dizia-se que fora do orçamento não havia salvação...

A raiz desse sistema se encontra nas regras eleitorais que levam os partidos a apresentarem uma lista enorme de candidatos em cada estado para, nelas, o eleitor escolher seu preferido, sem saber bem quem são ou que significado político-partidário têm. Logo depois nem se lembra em quem votou. A isso se acrescenta a liberalidade de nossa Constituição, que assegura ampla liberdade para a formação de partidos. Por isso, não se podem obter melhorias nessas regras por intermédio da legislação ordinária.

Algumas dessas melhorias foram aprovadas pelos parlamentares. Por exemplo, a exigência de uma proporção mínima de votos em certo número de estados para a autorização do funcionamento dos partidos no Congresso. Ou a proibição de coligações nas eleições proporcionais, por meio das quais se elegem deputados de um partido coligado aproveitando a sobra de votos de outro partido. Ambas foram recusadas por inconstitucionais pelo Supremo Tribunal Federal.

Com o número absurdo de partidos (a maior parte deles meras siglas sem programa, organização ou militância), forma-se, a cada eleição, uma colcha de retalhos no Congresso, em que mesmo os maiores partidos não têm mais do que um pedaço pequeno da representação total. Até a segunda eleição de Lula, os presidentes se elegiam apoiados em uma coalizão de partidos e logo tinham de ampliá-la para ter a maioria no Congresso.

De lá para cá, a coalizão eleitoral passou a assegurar maioria parlamentar. Mas, por vocação do PT à hegemonia, o sistema degenerou no que chamo de "presidencialismo de cooptação". E deu no que deu: um festival de incoerências políticas e portas abertas à cumplicidade diante da corrupção.

Mudar o sistema atual é uma responsabilidade coletiva. Repito o que disse, em outra oportunidade, a todos os que exerceram ou exercem a Presidência: por que não assumimos nossas responsabilidades, por mais diversa que tenha sido nossa parcela individual no processo que nos levou a tal situação, e nos propomos a fazer conjuntamente o que nossos partidos, por suas impossibilidades e por seus interesses, não querem fazer: mudar o sistema?

Sei que se trata de um grito um tanto ingênuo pedir grandeza. A visão de curto prazo encolhe o horizonte para o hoje e deixa o amanhã distante. Ainda assim, sem um pouco de quixotismo, nada muda.

Se, de fato, queremos sair do lodaçal que afoga a política e conservar a democracia que tanto custou ao povo conquistar, vamos esperar que uma crise maior destrua a crença em tudo e a mudança seja feita não pelo consenso democrático, mas pela vontade férrea de algum salvador da pátria?

## O desmazelo fiscal*

Alguns analistas repetem o refrão: vistos em conjunto os governos Itamar Franco/Fernando Henrique e Lula/Dilma serão percebidos no futuro como uma continuidade. Houve a estabilização da economia, as políticas sociais foram ativadas e a democracia, mantida.

Sim e não, digo eu. É certo que no primeiro mandato de Lula, as políticas macroeconômicas foram sustentadas pelo chamado "tripé" (Lei de Responsabilidade Fiscal, metas para a inflação e câmbio flutuante) e que a crise de 2008 foi razoavelmente bem manejada. Mas depois o governo lulista sentiu-se à vontade para levar adiante o sonho de alguns de seus membros.

A, então poderosa, ministra-chefe da Casa Civil se opôs desde logo aos economistas, inclusive do governo, que propunham limitar a expansão do gasto público ao crescimento do PIB. Na área fiscal, só fizemos piorar. Ao mesmo tempo, pouco se fez para sanear a máquina pública, infiltrada por militantes e operadores financeiros, e estancar a generalização do dá cá (apoio ao governo e votos),

* Originalmente publicado nos jornais *O Estado de S. Paulo* e *O Globo*, em 1º de junho de 2014.

toma lá (nomeações para ministérios, empresas públicas e áreas administrativas).

O governo alardeia estar cumprindo as metas de superávit primário, quer dizer, o resultado das contas públicas antes do pagamento dos juros da dívida. Cumprir essas metas é essencial para assegurar a queda da dívida como proporção do PIB. Desde 2009, o governo vem se valendo de expedientes para "cumpri-las", às vezes mediante fabricação de receitas por contabilidade criativa, como em 2012, ora com uso de receitas extraordinárias, como em 2014, quase sempre com o adiamento de despesas que vão engordando os chamados restos a pagar.

Afirma o governo que o superávit de 2014 será igual ao do ano anterior. Será? Custo a crer, pois o superávit de 2013 computou o resultado do leilão da concessão de exploração de petróleo no poço de Libra (R$ 15 bilhões) e a antecipação incentivada à Receita de R$ 22 bilhões devidos por empresas. Somados, esses recursos geraram R$ 37 bilhões. Ou 0,8% do PIB, quase a metade do superávit primário do ano passado (1,9%).

De onde virão as receitas extraordinárias em 2014? Fará o governo leilões do pré-sal usando a "amaldiçoada" lei anterior que não exige capitalização da Petrobras e antecipa maiores recursos ao Tesouro? Seria a suprema ironia.

A única certeza é a de que a expansão do gasto público é crescente: em janeiro do ano em curso (mês no qual em geral as despesas caem com relação a dezembro do ano anterior) houve uma expansão de R$ 4 bilhões. Ou seja, o que não foi pago em dezembro de 2013 será pago no ano em curso. Se tivesse sido pago, o superávit de 2013 teria sido de apenas 1%, dos quais 0,8% proveniente de receitas extraordinárias!

A tendência à expansão do gasto vem de longe. E se acentuou no governo de Dilma. Em 2013, a despesa atingiu 19% do PIB (era de 11% em 1990). O crescimento do gasto como proporção do PIB nesses últimos três anos foi mais de duas vezes superior ao observado em meu segundo governo, quando se instituiu o regime de metas de inflação e responsabilidade fiscal, com metas de superávit primário e controle do gasto público.

O governo atual alega que a dívida líquida não cresceu nesse período. E que a dívida bruta, embora tenha aumentado, estaria sob controle. É fato que, como proporção do PIB, a dívida líquida não cresceu, e que a bruta, em comparação com a de alguns países desenvolvidos, aparentemente não deveria nos preocupar.

Seria verdade, não fosse pelo "detalhe" de que o custo da nossa dívida é muito maior. Basta um exemplo: no ano passado, com uma dívida bruta de 66% (segundo o FMI) ou um pouco menos de 60% (segundo o governo), o Brasil gastou 5,2% do PIB com juros da dívida; já a arruinada Grécia, com uma dívida bruta de mais de 170% do PIB, gastou 4%!

O não crescimento da dívida líquida se deve em boa medida, mais uma vez, a um truque fiscal. Ele consiste em fazer o Tesouro tomar dinheiro emprestado no mercado, mais de R$ 300 bilhões desde 2009, e repassar o dinheiro ao BNDES. Na contabilidade da dívida líquida, uma operação anula a outra, pois a dívida contraída com o setor privado pelo Tesouro se transforma em crédito do mesmo Tesouro contra o BNDES, que é 100% controlado pelo governo.

Ocorre que os juros que incidem sobre a dívida contraída com o mercado são muito mais altos do que os juros cobrados pelos empréstimos do BNDES, para não falar no risco de parte desses empréstimos não ser paga jamais. O Tesouro deveria compensar o BNDES por esta benevolência, mas não o vem fazendo: ao final de 2013, já eram R$ 17 bilhões devidos pelo Tesouro ao BNDES para equalizar a diferença nas taxas de juros.

Os empréstimos do Tesouro ao BNDES não são um caso isolado. Dados do economista Mansueto Almeida mostram que o volume de empréstimos do Tesouro a bancos públicos aumentou cerca de vinte vezes desde 2007, passando de 0,5% para mais de 9% do PIB! Vamos, de truque em truque, em marcha firme para a produção do que no passado chamávamos de *esqueletos* as dívidas não reconhecidas.

Tudo isso foi feito com a justificativa de que era necessário para estimular a economia. Porém, em lugar de mais investimento e mais crescimento, colhemos apenas mais inflação e maior fragilidade fiscal.

Como o lulopetismo sabe que é difícil enganar sempre, tenta agora desacreditar os adversários. Alardeia que, diante desse quadro, se o PSDB e as oposições ganharem, vão tratar os consumidores e o povo a pão e água. Puro desvario. O controle sobre o desarranjo fiscal e a inflação não precisa recair sobre o povo. As bolsas consomem apenas 0,5% do PIB. Fizemos a estabilização da moeda, controlamos gastos do governo e, ao mesmo tempo, aumentamos o salário mínimo, realizamos a reforma agrária, universalizamos o ensino fundamental, fortalecemos o SUS e introduzimos programas de combate à pobreza.

Está na hora de pôr ordem na casa e o governo nas mãos de quem sabe governar.

## A encruzilhada da mudança*

Não é a primeira vez que o Brasil se vê desafiado pelas encruzilhadas da História. Os eleitores escolherão caminhos de mudança, uns mais bem pavimentados, outros potencialmente acidentados. Manter as coisas como estão não é boa alternativa, como já está claro para a maioria.

Não é segredo para ninguém que a candidata Dilma Rousseff, independentemente das boas intenções que tenha — e as tem —, embarcou num desvio que está custando caro a ela e ao país. A partir da crise de 2008, ainda no governo Lula, como ministra todo-poderosa, Dilma (e Guido Mantega, ou sei lá quais outros ideólogos) definiram uma *nova matriz econômica* para o Brasil. Acontece que a nova matriz era velha e não produziu o feitiço esperado.

Repetiu-se o erro de pensar que misturando ingredientes (gasto público solto, política monetária leniente, crédito público a mil, isenções fiscais aqui e acolá, microgerenciamento das decisões empresariais etc.) e agitando o caldeirão da política econômica, o governo asseguraria o milagre do crescimento contínuo e a felicidade geral do povo. As preocupações contrárias foram consideradas

* Originalmente publicado nos jornais *O Estado de S. Paulo* e *O Globo*, em 7 de setembro de 2014.

fórmulas velhas, *ortodoxas*, monetaristas, submissas ao FMI, propensas a fazer o ajuste fiscal à custa do povo.

Os resultados estão à vista e em mau momento: o das eleições. O PIB não cresce, antes se contrai, e a inflação roça o teto da meta, e só não o ultrapassa porque há preços artificialmente represados pelo governo; a indústria diminui de tamanho e perde competitividade, e os investimentos despencam junto com a confiança das empresas no governo. Pudera, o superávit primário virou pó, apesar dos artifícios contábeis e das *pedaladas fiscais*; os bancos públicos, chamados a injetar anabolizantes creditícios na economia e a bancar o voluntarismo do governo no setor elétrico, encontram-se expostos a créditos de qualidade duvidosa, criando dúvidas adicionais sobre a situação fiscal do país.

A Petrobras e a Eletrobras, igualmente submetidas ao voluntarismo governamental, perderam valor e capacidade de inversão; as reservas do Banco Central encontram-se comprometidas pelos *swaps* cambiais (quase US$ 100 bilhões) e por aí vai. Cáspite! Como se dizia nas histórias em quadrinho dos anos 1940, "é encrenca para não botar defeito".

Diante desta situação, o que propõe a candidata? O mesmo, com mais propaganda. Desfia um rosário de realizações, sem se dar conta de que o calo aperta na má gerência, no aparelhamento desenfreado da administração por partidos políticos, na baixa qualidade dos serviços públicos de educação, saúde e transporte e nos casos de corrupção sistêmica, nas obras inacabadas e no desperdício do dinheiro público. Ah, sim, também nos impostos, que, mais do que elevados, são mal-usados.

Dá para ganhar eleições desse jeito? Mesmo Lula parece arrependido de indicar candidatos-postes cujas luzes não acendem...

Daí a responsabilidade por construir caminhos para um futuro melhor recair nos ombros das oposições que se deparam com uma encruzilhada.

Um caminho aponta uma estrada pavimentada pela experiência, por realizações; outro, como se faz nos lançamentos de empreendimentos imobiliários, mostra fotos de maquetas tomadas com lentes grandes-angulares: aparece o melhor no foco e se esfumam no horizonte as dimensões das dificuldades reais. A questão não é a foto da partida, é o percurso para levar a uma construção sólida.

Na tradição personalista de sempre (seria da política velha?), os dados eleitorais parecem mostrar a formação de um vagalhão. As intenções da candidata oposicionista são boas, mas o político, já dizia Max Weber há um século, não é como o pregador. A este basta a convicção e a boa palavra. Como nos evangelhos: aquele que acreditar em mim encontrará a salvação.

O político, além da crença, precisa construir os caminhos da *salvação*, que será sempre terrena e imperfeita. O desafio está no fazer e não nas palavras. Há "bons" e "maus" entre as pessoas, assim como há lados "bons" e "maus" em uma mesma pessoa. Valem as aspas porque há valores e interesses que para uns são "bons", para outros, "maus".

Além disso, na política, não se trata só de pessoas, mas do que elas representam.

Na vida pública o objetivo não é somar os "bons" e alinhá-los contra os "maus", em confronto definitivo. Trata-se de organizar forças ao redor de ideias e de interesses que, ainda que contraditórios em alguns pontos, possam se compor e formar uma maioria para governar por um período determinado de tempo em torno de objetivos claros que, se alcançados, possam beneficiar o país.

A candidata Marina Silva, se vencer, será capaz de tal proeza? Tomara, mas ainda é uma incógnita. Sem negar-lhe méritos pessoais e políticos, é recente sua conversão a algumas das teses há muito sustentadas pela oposição que não tem medo de dizer o seu nome.

Aécio Neves representa esta oposição que vem junta há muitos anos. Sobre sua capacidade de mobilizar e coordenar equipes técnicas, organizar e liderar maiorias políticas, não cabe dúvida. Ele a demonstrou reiteradas vezes como deputado federal, presidente da Câmara e governador de Minas Gerais.

Enfim, escolheremos o caminho mais seguro ou, no embalo da velha tradição personalista, embarcaremos na direção de mares nunca dantes navegados? Embora a opção em causa seja diferente de outras que nos levaram a impasses e desastres no passado, prefiro manter-me firme ao lado de quem já passou por provas que o capacitam a governar com grandeza e competência, e a obter os apoios necessários para tirar o país do labirinto lulopetista.

## Em quem voto e por quê*

Poucas vezes o refrão de estarmos em uma encruzilhada terá sido tão verdadeiro. Neste domingo os eleitores carregam para a votação o peso de uma responsabilidade histórica. E o mais grave é que, dadas as condições do debate eleitoral e as formas prevalecentes de manipulação da opinião pública, boa parte do eleitorado nem atina qual seja a bifurcação diante da qual o país está.

Em uma das mais mistificadoras campanhas dos últimos tempos, a máquina publicitária e corruptora do PT e de aliados espalhou boatos de que Aécio Neves acabaria com os programas sociais (em grande parte criados pelo próprio PSDB!) e Marina Silva seria a expressão dos interesses dos banqueiros, tendo nas mãos, com a independência do Banco Central, a bomba atômica para devastar os interesses populares. Por mais ridículas, falsas e primárias que sejam as imagens criadas (também eram simplificadoras as imagens do regime nazista ou do stalinista para definir os "inimigos"), elas fizeram estragos no campo opositor.

* Originalmente publicado nos jornais *O Estado de S. Paulo* e *O Globo*, em 5 de outubro de 2014.

A guerra de acusações descabidas escondeu o tempo todo o que a candidata à reeleição deixou claro nos últimos dias: suas distorções ideológicas. Fugindo aos scripts dos marqueteiros, que a pintam como uma risonha e bonachona mãe de família, e do PAC, a presidente vem reafirmando arrogantemente que tudo que fez foi certo; se algo deu errado foi, como diria Brizola, por conta das "perdas internacionais". Mais ainda, disse com convicção espantosa ser melhor dialogar com os degoladores de cabeças inocentes do que fazer-lhes a guerra, coisa que só os "bárbaros" ocidentais pensam ser necessária.

E o que é isso: socialismo?, populismo? Não: capitalismo de Estado, sob controle de um partido (ou do chefe do Estado). Um governo regulamentador, soberbo diante da sociedade, descrente do papel da opinião pública ("Não é função da imprensa investigar", outra pérola dita recentemente por Dilma Rousseff), com apetite para cooptar o que seja necessário, desde empresários *campeões nacionais* até partidos sedentos de um lugar no coração do governo. Algo parecido com o que o lema do velho PRI, o Partido Revolucionário Institucional mexicano, expressava: fora do orçamento não há salvação; nem para as empresas, nem para os partidos, nem para os sindicatos, para ninguém. *Crony capitalism*, dizem os americanos. Capitalismo para a companheirada, diríamos nós.

E sempre com certo ar de grandeza, herdado do antecessor: nunca antes como agora. Para provar os acertos, vale tudo: fazer citações sem respeito ao contexto, escamotear as contas públicas ou até mesmo, para se justificar, dizer que "Nunca ninguém puniu tanto os corruptos como este governo!". Como se as instituições de Estado (Polícia Federal, Ministério Público, Tribunais etc.) fossem mera extensão dos governantes.

Criou-se um clima de ilusão e embuste usando-se uma retórica baseada no exagero e na propaganda. Será isso democracia? Estamos, pouco a pouco, apesar de mantidas as formas democráticas, afastando-nos de seu real significado. Como em alguns outros países da América Latina. Com jeitinho brasileiro, mas com iguais consequências perversas. O modo de governar (democraticamente ou não) é tão importante para mostrar as diferenças entre os partidos quanto as divergências de orientação nas políticas econômicas ou sociais.

Por mais que a propaganda petista mistifique, as políticas sociais têm o rumo definido desde a Constituição de 1988. Executadas com maior ou menor perícia por parte de quem governa, com maior ou menor disponibilidade de recursos, o caminho dessas políticas está traçado: mais e melhor educação, mais e melhor saúde, mais e melhor amparo a quem necessita (bolsas, aposentadorias etc.). Já a política econômica perdeu o rumo e destrói pouco a pouco as bases institucionais que permitiram consolidar a estabilidade e favorecer o crescimento da economia.

No conjunto de sua obra, o governo atual rompeu o equilíbrio alcançado entre Estado, mercado e sociedade e dá passos na direção de um modelo *à la* Ernesto Geisel. Tal modelo é incompatível com a democracia e com a economia moderna. Não poderão sobreviver os três ao mesmo tempo.

É este o fantasma que nos ronda. Reeleita a candidata, a assombração vira ameaça real. Ameaça à economia e ao regime político, pelo menos quanto ao modo de entender o que seja democracia. Não é preciso que nos ensinem que democracia requer inclusão social e alargamento da participação política. Esta foi a luta de meu governo, desde o primeiro dia, em condições muito mais adversas.

É este governo que necessita aprender que a inclusão e a participação verdadeiramente democráticas requerem defesa vigilante das liberdades fundamentais (especialmente de imprensa), autonomia da sociedade civil, separação entre partido, governo e Estado. Como o governo mostra dificuldade em aprender, só há um caminho: votar na oposição.

Mas em qual oposição? Com o devido respeito às demais forças oposicionistas, que deverão estar juntas conosco no segundo turno, há um candidato e um partido que já demonstraram na prática que obedecem aos valores da democracia, da inclusão social e da modernização do país. Já mostraram também que sabem governar.

O PSDB e seus aliados lançaram as bases sociais e econômicas do Brasil contemporâneo. Aécio Neves é a expressão deste Brasil. Governando Minas, fez seu estado avançar (o estado tem hoje o melhor Índice de Desenvolvimento da Educação Básica do país no ensino fundamental) e marcou sua administração por inovações na forma de estabelecer e cobrar resultados.

Não foi o único governador a se destacar no período recente, mas esteve sempre entre os melhores. Meu voto, portanto, será dado a Aécio, não só por ele, mas pelo que ele representa, como uma saída para a encruzilhada em que nos encontramos.

# Diálogo ou novas imposturas?*

Em uma democracia não cabe às oposições, como ao povo em geral, senão aceitar o resultado das urnas. Mas nem por isso devemos calar sobre como se conseguiu vencer, nem sobre por que se perdeu.

Os resultados eleitorais mostram que aprovação ao atual governo apenas roçou um pouco acima da metade dos votos. Ainda que a vitória se desse por 80% ou 90% deles, embora o respeito à decisão devesse ser idêntico ao que se tem hoje com a escassa maioria obtida pelo lulopetismo, nem por isso os críticos deveriam calar-se.

É bom retomar logo a ofensiva na agenda e nos debates políticos. Para começar, não se pode aceitar passivamente que a *desconstrução* do adversário, a propaganda negativa à custa de calúnias e deturpações de fatos seja instrumento da luta democrática. Foi o que aconteceu, primeiro com Marina Silva, em seguida com Aécio Neves. O vale-tudo na política não é compatível com a legitimidade democrática do voto.

Marina, de lutadora popular e mulher de visão e princípios, foi transformada em porta-bandeira do capital financeiro, o que não é somente falso, mas inescrupuloso.

---

* Originalmente publicado nos jornais *O Estado de S. Paulo* e *O Globo*, em 2 de novembro de 2014.

Aécio, que milita há trinta anos na política, governou Minas Gerais duas vezes com excelente aprovação popular, presidiu a Câmara e é senador, foi reduzido a playboy, farrista contumaz e "candidato dos ricos".

Até eu, que nem candidato era, fui sistematicamente atacado pelo PT, como se tivesse quebrado o Brasil três vezes (quando como ministro da Fazenda ajudei o país a sair da moratória), como se tivesse deixado a presidência com a economia corroída pela inflação (como se não fôssemos eu e minha equipe os autores do Plano Real que a reduziu de 900% ao ano para um dígito), como se os 12% de inflação em 2002 fossem responsabilidade de meu governo (quando se deveram ao temor de eventuais desmandos de Lula e do PT).

Não me refiro à língua solta de Lula, que diz o que quer quando lhe convém, mas ao fato de a própria presidente e sua campanha terem endossado que o PSDB arruinou o Banco do Brasil e a Caixa Econômica Federal, quando os repôs em sadias condições de funcionamento. E assim por diante, num rosário de mentiras e distorções, insinuando terem sido postos embaixo do tapete vários *escândalos*, como o *da pasta rosa* ou o *do Sivam*, ou *da compra de votos* da emenda da reeleição etc., factoides construídos com matéria falsa, levantada pelo PT, submetida a CPIs, investigações várias e julgamentos que deram em nada por falta de veracidade nas acusações.

Mas isso não é o mais grave. Mais grave ainda é ver a reeleita colocando-se como campeã da moralidade pública. Entretanto, não respondeu à pergunta de Aécio Neves sobre se era ou não solidária com seus companheiros que estão presos na Papuda. Calou ainda diante da afirmação feita no processo sobre o petrolão de que o tesoureiro do PT, senhor João Vaccari Neto, era quem recolhia propinas para seu partido. Havendo suspeitas, vá lá que não se condene antes do julgamento, mas até prova do contrário deve-se afastar o indiciado, como fez Itamar Franco com um ministro e eu fiz com auxiliares, inocentados depois, no caso Sivam. Então por que manter o tesoureiro do PT no Conselho de Itaipu?

Pior. A propaganda incentivada pela liderança maior do PT inventou uma batalha dos *pobres contra os ricos*. Eu não sabia que metade do eleitorado brasileiro, que votou em Aécio, é composta por ricos... É difícil acreditar na boa-fé do argumento quando se sabe que 70% dos eleitores do candidato do PSDB, segundo o Datafolha, compunham-se de pessoas que ganham até três salários mínimos.

A propaganda falaciosa, no caso, não está defendendo uma classe da exploração de outra, mas enganando uma parte do eleitorado em benefício dos seus autores. Isso não é política de esquerda nem de direita, é má-fé política para a manutenção do poder a qualquer custo. Igual embuste foi a insinuação de que a oposição é *contra os nordestinos*, como se não houvesse nordestinos líderes do PSDB, assim como eleitores do partido no Nordeste.

Também houve erros da oposição. Quem está na oposição precisa bradar suas razões e persistir na convicção, apontar os defeitos do adversário até que o eleitorado aceite sua visão. Para isso precisa organizar-se melhor e enraizar-se nos movimentos da sociedade. Felizmente desta vez Aécio Neves foi firme na defesa de seus pontos de vista e, sem perder a compostura, retrucou os adversários à altura, firmando-se como um verdadeiro líder.

Diante do apelo ao diálogo da candidata eleita devemos responder com desconfiança: primeiro mostre que não será leniente com a corrupção. Deixe que os mais poderosos e próximos (ministros, aliados ou grandes líderes) respondam pelas acusações. Que se os julgue, antes de condenar, mas que não se obstruam os procedimentos investigatórios e legais (Lula tentou postergar a decisão do STF sobre o mensalão o quanto pôde).

Que primeiro a reeleita se comprometa com o tipo de reforma política que deseja e esclareça melhor o sentido da *consulta popular* a que se refere (plebiscito ou referendo?). Que se debata, sim, na sociedade civil e no Congresso, mas que se explicite o que ela entende por reforma política. Do mesmo modo, que tome as medidas econômicas para vermos em que rumo irá o seu governo.

Só se pode confiar em quem demonstra com fatos a sinceridade de seus propósitos. Depois de uma campanha de infâmias, fica difícil crer que o diálogo proposto não seja manipulação. Só o tempo poderá restabelecer a confiança, se houver mudança real de comportamento. A confiança é como um vaso de cristal, uma pequena rachadura danifica a peça inteira.

# Vitória amarga*

Raras vezes houve vitória eleitoral tão pouco festejada. Nem mesmo o partido da vencedora, tonitruante e dado a autocelebrações, vibrou o suficiente para despertar o país da letargia. Os mais espertos talvez tenham percebido que seus quadros minguaram, com graves perdas de entusiasmo e adesão na juventude e certo rancor em setores do empresariado mais moderno.

A reeleita possivelmente saboreie o êxito com certo amargor. É indiscutível a legalidade da vitória, mais discutível sua legitimidade. O que foi dito durante a campanha eleitoral não se compaginava com a realidade. Só mesmo seu ministro da Fazenda, que coabita com o novo ministro designado, pôde dizer de cara lavada que a economia saíra da estagnação e que os males que a assolam vêm da crise mundial.

Recentemente, fazendo coro a esta euforia de encomenda, diante de dados que mostram um "crescimento" de 0,1% do PIB no trimestre passado, houve a repetição da bobagem: finalmente a economia teria saído da *recessão técnica*, de dois ou mais trimestres seguidos. *Palavras,*

---

* Originalmente publicado nos jornais *O Estado de S. Paulo* e *O Globo*, em 7 de dezembro de 2014.

*palavras, palavras*, que não enganam sequer aos que as estão pronunciando.

Na formação do novo gabinete, a presidente começou a atuar (escrevo antes que a tarefa esteja completa) no sentido de desdizer o que pregara na campanha. Buscou um tripé *de direita* para o comando da economia.

Na verdade, o adjetivo é despiciendo: a calamidade das contas públicas levou-a a escolher quem se imagina possa repô-las em ordem, pois sem isso não existe direita nem esquerda, mas o caos. Menos justificável, senão pela angústia dos apoios perdidos, é a composição anunciada do resto do ministério de cunho mais conservador/clientelístico. Esperemos.

A presidente, com esta reviravolta, deve sentir certa constrangedora falta de legitimidade. Foi a partir da ação dela na Casa Civil, e daí por diante, que se implantou a *nova matriz econômica*: mais gastança governamental e mais crédito público, à custa do Tesouro. Foi isso que não deu certo e serviu de alavanca para outros equívocos que levaram o governo do PT a perder a confiança de metade do país. Sem falar da quebra moral.

Metade, sim, mas que metade? É só ver os dados eleitorais com maior minúcia, município por município: a oposição ganhou, em geral, nas áreas mais dinâmicas do país, inclusive nas capitais onde há sociedade civil mais ativa, maior escolaridade, capacidade empreendedora mais autônoma e menos amarras aos governos.

O lulopetismo, nascido no coração da classe trabalhadora do ABC, recuou para as áreas do país onde a ação do governo supre a ausência de uma sociedade civil ativa e de setores produtivos mais independentes de decisões governamentais.

É falaciosa a afirmação de que houve vitória da oposição em áreas geográficas tomadas isoladamente: Sudeste rico em contraposição ao Nordeste pobre, idem quanto ao Sul ou quanto ao Centro-Oeste em relação ao Norte. Ou de ricos contra pobres, à moda lulista. Por certo, como há maior concentração da pobreza nas áreas mais dependentes do assistencialismo governamental, houve, de fato, uma distinção na qual as faixas de renda pesam.

Mas os 7 milhões de dianteira que Aécio levou sobre Dilma em São Paulo terão sido *dos ricos*? Absurdo. Nas áreas menos dependentes do governo, ricos e pobres tenderam a votar contra o lulopetismo; nas demais, a favor de Dilma, ou melhor, do governo. A votação na oposição no Acre, em Rondônia, em Roraima ou nas capitais do Norte e Nordeste se explica melhor pelo dinamismo do agronegócio e pelos serviços que ele gera e, no caso das capitais, pela maior autonomia de decisão das pessoas.

Este é o *xis* da questão. Eleito com apoio dos mais dependentes (não só dos mais pobres, mas também dos dependentes *da máquina pública* e das empresas a ela associadas), o "novo" governo precisa fazer uma política econômica que atenda aos setores mais dinâmicos do país. Vem daí certa tristeza na vitória: a tarefa a ser cumprida seria mais bem realizada com a esperança, o ânimo e o compromisso de campanha dos que não venceram.

Cabe agora aos vitoriosos vestir a camisa de seus opositores (como Lula já fez em 2003), continuar maldizendo-nos e fazendo malfeito o que nós faríamos de corpo e alma, portanto, melhor. Atenção: a economia não é tudo. Menos ainda um ajuste fiscal. O êxito de uma política econômica depende, como é óbvio, da política. Economia é política. Política exige convicção, capacidade de comunicar-se, mensagem e desempenho.

No Plano Real coube-me ser o arauto, falar com a sociedade, ir ao Congresso, convencer o próprio governo. O presidente Itamar Franco teve a sabedoria de indicar o embaixador Rubens Ricupero para me suceder, que fez o mesmo papel. E agora, quem desempenhará a função de governar numa democracia, isto é, obter o apoio, o consentimento, a adesão dos demais atores políticos? Do Congresso, das empresas, dos sindicatos, das Igrejas, da mídia, numa palavra, da sociedade? A presidente Dilma, mulher sincera, ciosa de suas opiniões, terá condições para se transmutar em andorinha da mensagem execrada por ela e sua grei? A nova equipe econômica terá este perfil ou se isolará no tecnicismo? O petrolão será uma ventania ou um tufão a derrubar as muralhas do governo e da *base aliada*? E a oposição, irá se opor de verdade ou embarcará no tecnicismo e na boa vontade à espera que o *mercado*, sobretudo o financeiro, acalme-se e que tudo volte à moda antiga? O mesmo se diga de cada setor da sociedade.

É mais fácil rearranjar a economia do que acertar a política. Que fazer com essa quantidade de partidos e ministérios, interligados mais por interesses, muitos dos quais escusos? Sem liderança, nada a fazer. Com miopia eleitoreira, menos ainda. Tomara não sejam os juízes os únicos a purgar nossos males, como ocorreu na Itália, até porque no exemplo citado o resultado posterior, a eleição de um demagogo como Silvio Berlusconi, não foi promissor.

# 2015

## Inovar na política*

Ano novo, esperanças renovadas. É preciso continuar modelando o futuro com a argila de que se dispõe. Algo dará para fazer. Que posso desejar para 2015? Primeiro que o Brasil reencontre o rumo. Brasil não quer dizer abstratamente um país com seu Estado, mas uma nação com seu povo. Sem um Estado que funcione eficazmente, nem o mercado, nem a sociedade funcionam. Porém, opor Estado e mercado, sociedade e Estado, mais atrapalha do que ajuda a entender e a melhorar o país.

Na última década renasceu no Brasil a ilusão de que tudo seria feito e *salvo* pelo Estado. Deu no que deu, com mensalão, petrolão, ineficiências múltiplas e um amálgama degenerado de *capitalismo da companheirada*, que nos levou à estagnação econômica. Que ultrapassemos isso é meu desejo.

Quem sabe superaremos o primitivismo político de considerar como *neoliberal* tudo o que é necessário fazer para que as finanças públicas e a administração funcionem bem, respeitando suas possibilidades reais, mais ou menos elásticas conforme as circunstâncias, mas nunca infinitas,

* Originalmente publicado nos jornais *O Estado de S. Paulo* e *O Globo*, em 4 de janeiro de 2015.

propiciando um clima favorável para que as pessoas, as organizações e as empresas possam expandir suas potencialidades. Tomara, ao mesmo tempo, superemos o primitivismo de considerar como *de esquerda* os que forem contrários a essas práticas.

Claro que se pode e deve distinguir entre *esquerda* e *direita*, com suas variantes intermediárias. Mas a oposição correta é outra: sempre foram considerados de esquerda os que querem mudar estruturas para beneficiar a maioria, pela via da *revolução* ou das reformas (a esquerda democrática é reformista). A direita clássica costuma se opor às mudanças, em particular a *reacionária*, pronta para impor sua lei e ordem a qualquer preço.

No Brasil não estamos diante deste dilema. Não há partidos relevantes *de direita*, tampouco *revolucionários*, à esquerda. Quando necessário, há os que se definem como liberais, de um lado, e social-democratas de outro. Ainda muito numerosos são os setores que representam o atraso (práticas clientelistas, lenientes com a corrupção e com o arbítrio do Estado). Meus votos são para que não enfrentemos uma oposição entre esquerda retrógada e direita golpista.

Sendo progressista, portanto *de esquerda*, desejo que se consiga alcançar consensos que melhorem o sistema político-partidário dando-lhe certa coerência ideológica. Para dar passos iniciais bastam três emendas à Constituição: voltar a aprovar a *cláusula de barreira*, quer dizer, exigir dos partidos um número mínimo de votos em âmbito nacional e em certo número de estados para assegurar-lhes plena representação no Congresso, acesso ao Fundo Partidário e ao horário gratuito na TV; proibir as coligações entre partidos nas eleições proporcionais; e vedar o uso de marketing político nas TVs.

A TV seria usada apenas para debates entre candidatos ou para suas falas diretas à audiência. Isso reduziria drasticamente o custo de campanha. O financiamento privado, se mantido, deve limitar-se a algo como R$ 1 milhão por conglomerado de empresas — se for dado apenas a um partido e não a todos cheira a corrupção. O financiamento da pessoa física seria livre, desde que limitado em valores.

Passo mais audacioso pode ser a introdução experimental do voto distrital nas eleições para as Câmaras de vereadores. Embora em tese eu prefira o distrital misto, a proposta, do mesmo modo que no caso do distrital misto, teria a vantagem de não alterar a regra constitucional que exige a proporcionalidade e, além disso, de ter mais adeptos do que o sistema distrital misto. Esta modificação abriria espaço para, no futuro, estender a prática às eleições estaduais e nacionais. Ao longo do tempo, o espectro político encolherá e se tornará mais nítido.

Atualmente a polarização PT/PSDB distorce o significado do voto, já que os ideários dos dois partidos não são necessariamente antagônicos. Nascidos como "primos" no final do regime militar, estes dois partidos pertencem à família *social-democrática*. Não obstante, um se acredita mais *à esquerda*, com ingredientes de socialismo revolucionário e, junto com eles, elementos autoritários; e o outro é mais liberal, embora decididamente favorável à regulação pública de setores da economia.

Na refrega, PT empurra o PSDB para *a direita* e, em reação, o PSDB empurra o PT para o lado do *atraso corrupto*. Não existe direita organizada no espectro partidário brasileiro. PT e PSDB se distinguem mais pela contemporaneidade do último, que reconhece explicitamente a necessidade de dar ao mercado o papel que lhe corresponde nas sociedades contemporâneas, da mesma forma que não atribui ao Estado todas as virtudes. O PT, quando também age assim, é, a contragosto, levado pela realidade.

A maior diferença entre estes dois partidos é o modo pelo qual enxergam os processos políticos que levam à mudança: o PT crê em uma vanguarda partidária que pela via eleitoral ganha o governo, apropria-se do Estado, infiltra-o com militantes ou *aliados* e, a partir disso, alavanca as reformas da sociedade. O PSDB, mais liberal, quando controla o governo, não crê que deva juntá-lo ao Estado nem deseja usar este último como ferramenta quase exclusiva das reformas e avanços sociais, pois acredita mais na dinâmica da sociedade civil como mecanismo de mudança.

E a direita, onde fica? No atraso, no clientelismo, na luta por verbas e ministérios, mas sem expressão propriamente político-ideológica. O mesmo se diga da esquerda revolucionária, refugiada na teoria e no romantismo.

Meu desejo para 2015 é que tanto PSDB quanto PT quanto novas forças políticas — como a Rede Sustentabilidade ou o Partido Novo — incorporem em suas crenças e práticas algo mais contemporâneo. Que olhem para as questões da sustentabilidade, da mobilidade urbana, da segurança, educação e saúde, entendendo as funções do mercado e do Estado no século XXI.

Que não tenham medo das mudanças de estilos de vida, que não fujam da discussão sobre regulação das drogas e que se lembrem de que o debate político, tal como é hoje, dá às pessoas comuns a sensação de que os políticos estão numa conversa *entre eles*, sem falar *com a gente*.

## Chegou a hora*

Quando eventualmente este artigo vier a ser lido, a Câmara dos Deputados estará escolhendo seu novo presidente. Ganhe ou perca o governo, as fraturas na base aliada estarão expostas. Da mesma maneira, o esguicho da Operação Lava Jato respingará não só nos empresários e ex-dirigentes da Petrobras nomeados pelos governos do PT, mas nos eventuais beneficiários da corrupção que controlam o poder. A falta de água e seus desdobramentos energéticos continuarão a ocupar as manchetes.

Não se precisa saber muito de economia para entender que a dívida interna (R$ 3 trilhões!), os desequilíbrios dos balanços da Petrobras e das empresas elétricas, a diminuição da arrecadação federal, o início de desemprego, especialmente nas manufaturas, o aumento das taxas de juros, as tarifas subindo, as metas de inflação sendo ultrapassadas dão base para prognósticos negativos do crescimento da economia.

Tudo isso é preocupante, mas não é o que mais me preocupa. Temo, especialmente, duas coisas: havermos perdido o rumo da história e o fato de a liderança nacio-

---

* Originalmente publicado nos jornais *O Estado de S. Paulo* e *O Globo*, em 1º de fevereiro de 2015.

nal não perceber que a crise que se avizinha não é corriqueira — a desconfiança não é só da economia, é do sistema político como um todo. Quando esses processos ocorrem não vão para as manchetes de jornal. Ao entrar na madeira, o cupim é invisível; quando percebido, a madeira já apodreceu.

Por que temo havermos perdido o rumo? Porque a elite governante não se apercebeu das consequências das mudanças na ordem global. Continua a viver no período anterior, no qual a política de substituição das importações era vital para a industrialização. Exageraram, por exemplo, ao forçar o *conteúdo nacional* na indústria petrolífera, excederam-se na fabricação de *campeões nacionais* à custa do Tesouro.

Os resultados estão à vista: quebram-se empresas beneficiárias do BNDES, planejam-se em locais inadequados refinarias *premium*, que acabam jogadas na vala dos projetos inconclusos. Pior, quando executados, têm o custo e a corrupção multiplicados. Projetos decididos graças à *vontade política* do mandão no passado recente.

Pela mesma cegueira, para forçar a Petrobras a se apropriar do pré-sal, mudaram a lei do petróleo que dava condições à estatal de concorrer no mercado, endividaram-na e a distanciaram da competição. Medida que isentava a empresa da concorrência nas compras transformou-se em mera proteção para decisões arbitrárias que facilitaram desvios de dinheiro público.

Mais sério ainda no longo prazo: o governo não se deu conta de que os Estados Unidos estavam mudando sua política energética, apostando no gás de xisto com novas tecnologias, buscando autonomia e barateando o custo do petróleo. O governo petista apostou no petróleo de alta profundidade, que é caro, descontinuou o etanol pela política suicida de controle dos preços da gasolina que o tornou pouco competitivo e, ainda por cima (desta vez graças à ação direta de outra mandona), reduziu a tarifa de energia elétrica em momento de expansão do consumo, além de ter tomado medidas fiscais que jogaram no vermelho as hidrelétricas.

Agora todos lamentam a crise energética, a falta de competitividade da indústria manufatureira e a alta dos juros, consequência inevitável do desmando das contas públicas e do descaso com as metas de inflação. Os donos do poder esqueceram-se de que havia alternativas, que sem renovação tecnológica os setores produtivos isolados não sobrevivem na globalização e que, se há desmandos e corrupção praticados por empresas, eles não decorrem de erros do funcionalismo da Petrobras, nem exclusivamente da ganância de empresários, mas de políticas que são de sua responsabilidade, até porque foi o governo quem nomeou os diretores ora acusados de corrupção, assim como foram os partidos ligados a ele os beneficiados.

Preocupo-me com as dificuldades que o povo enfrentará e com a perda de oportunidades históricas. Se mantido o rumo atual, o Brasil perderá um momento histórico e as gerações futuras pagarão o preço dos erros dos que hoje comandam o país. Depois de doze anos de contínua tentativa de desmoralização de quase tudo que meu governo fez, bem que eu poderia dizer: estão vendo, o PT beijou a cruz, tenta praticar tudo que negou no passado: ajuste fiscal, metas de inflação, abertura de setores públicos aos privados e até ao *capital estrangeiro*, como no caso dos planos de saúde.

Quanto ao *apagão* que nos ronda, dirão que faltou planejamento e investimento como disseram em meu tempo? Em vez disso, procuro soluções.

Nada se consertará sem uma profunda revisão do sistema político e mais especificamente do sistema partidário e eleitoral. Com uma base fragmentada e alimentando os que o sustentam com partes do orçamento, o governo atual não tem condições para liderar tal mudança. E ninguém em sã consciência acredita no sistema prevalecente.

Daí minha insistência: ou há uma regeneração *por dentro*, governo e partidos reagem e alteram o que se sabe que deve ser alterado nas leis eleitorais e partidárias, ou a mudança virá *de fora*. No passado, seriam golpes militares. Não é o caso, não é desejável nem se veem sinais.

Resta, portanto, a Justiça. Que ela leve adiante a purga; que não se ponham obstáculos insuperáveis ao juiz, aos procuradores, aos delegados ou à mídia. Que tenham a ousadia de chegar até aos mais altos hierarcas, desde que efetivamente culpados. Que o STF não deslustre sua tradição recente. E, principalmente, que os políticos, dos governistas aos oposicionistas, não lavem as mãos. Não deixemos a Justiça só.

Somos todos responsáveis perante o Brasil, ainda que desigualmente. Que cada setor político cumpra sua parte e, em conjunto, mudemos as regras do jogo partidário-eleitoral. Sob pena de sermos engolfados por uma crise, que se mostrará maior do que nós.

## A miséria da política*

Otimista por temperamento com os necessários freios que o realismo impõe, raramente me deixo abater pelo desalento. Confesso que hoje, no entanto, quase desanimei: que dizer, que recado dar diante (valham-me os clássicos) de tanto horror perante os céus?

À procura de alento, pensei em escrever sobre situações de outros países. Passei o carnaval em Cuba, país que visitava pela terceira vez: a primeira, na década de 1980, quando era senador. Fui jurado em um prêmio Casa de las Américas. Voltei à ilha como presidente da República. Vi menos do povo e dos costumes do que na vez anterior: o circuito oficial é bom para conhecer outras realidades, não as da sociedade.

Agora visitei Cuba como cidadão comum, sem seguranças, nem salamaleques oficiais. Fui para descansar e para admirar Havana, antes que o novo momento econômico de relações com os Estados Unidos a modifiquem muito.

Não fui, portanto, para avaliar a situação política (sequer possível em sete dias) nem para me espantar com o já sabido, de bom e de mau, que lá existe. Não caberia,

---

* Originalmente publicado nos jornais *O Estado de S. Paulo* e *O Globo*, em 1º de março de 2015.

portanto, regressar e fazer críticas ao que não olhei com maior profundidade. Os únicos contatos mais formais que tive foram com Roberto Retamar (poeta e diretor da referida Casa de las Américas), com o jornalista Ciro Bianchi e com o conhecido romancista Leonardo Padura.

Seu livro *El hombre que amaba a los perros* — sobre a perseguição a Leon Trotski em seu exílio da União Soviética — é uma admirável novela histórica. Rigorosa nos detalhes, aguda nas críticas, pode ser lida como um livro policial, especialidade do autor, que, no caso, reconstitui as desventuras do líder revolucionário e o monstruoso assassinato feito a mando de Josef Stalin.

Jantei com os três cubanos e suas companheiras. Por que ressalto o fato, de resto trivial? Porque embora ocupando posições distintas no espectro político da ilha mantiveram uma conversa cordial sobre os temas políticos e sociais que iam surgindo. A diversidade de posições políticas não tornava o diálogo impossível. Eles próprios não se classificavam, suponho, em termos de *nós* e *eles*, os bons e os maus.

Por outra parte, ainda que o cotidiano dos cubanos seja de restrições econômicas que limitam as possibilidades de bem-estar, com todos os populares com quem conversei, senti esperanças de que no futuro estariam melhores: o fim eventual do embargo, o fluxo de turistas, a liberdade maior de ir e vir, as remessas aumentadas de dinheiro dos cubanos da diáspora, tudo isso criou um horizonte mais desanuviado.

É certo que nem em todos os contatos mais recentes que tive com pessoas de nossa região senti o mesmo ânimo. Antes de viajar recebi a ligação telefônica da mãe de Leopoldo López, oposicionista venezuelano que cumpriu um ano de cadeia no dia 18 de fevereiro. Ponderada e firme, a senhora me pediu que os brasileiros façamos algo para evitar a continuidade do arbítrio. Ainda mantém esperanças de que, ademais dos protestos no Congresso e na mídia, alguém do governo entenda nosso papel histórico e grite pela liberdade e pela democracia.

Esta semana foi a vez de Henrique Capriles me telefonar para pedir solidariedade diante de novos atos de arbítrio e truculência em seu país: o prefeito Antonio Ledezma, eleito ao governo do Distrito Metropolitano de Caracas pelo voto popular, havia sido preso dias antes em pleno exercício de suas funções.

Não bastasse, em seguida houve a invasão de vários diretórios de um partido oposicionista. Note-se, como me disse Capriles, que Ledezma não é um político exaltado, que faz propostas tresloucadas: ele, como muitos, deseja apenas manter viva a chama democrática e mudar pela pressão popular, não pelas armas, o nefasto governo de Nicolás Maduro. Esperamos todos que o desrespeito aos direitos humanos provoque reações de repúdio ao que acontece na Venezuela.

Até mesmo os colombianos, depois de meio século de luta armada, vão construindo veredas para a pacificação. As FARC e o governo vêm há meses, lenta, penosa mas esperançadamente, abrindo frestas por onde possa passar um futuro melhor. Amanhã, segunda-feira, 2 de março, o presidente Juan Manuel Santos e outras personalidades, entre as quais Felipe González, estarão reunidos em Madri num encontro promovido por *El País* (ao qual não comparecerei por motivos de força maior) para reafirmar a fé na paz colombiana.

Enquanto isso, nós, que estamos longe de sofrer as restrições econômicas que maltratam o povo cubano ou os arbítrios de poder que machucam os venezuelanos também submetidos à escassez de muitos produtos e serviços, nos afogamos em copo d'água.

Por que isso, diante de uma situação infinitamente menos complexa? Por que Lula, em lugar de se erguer ao patamar que a história requer, insiste em esbravejar, como fez ao final de fevereiro, dizendo que colocará nas ruas as hostes do MST (pior, ele falou nos "exércitos"...) para defender o que ninguém ataca, a democracia, e — incrível — para salvar a Petrobras de uma privatização que tucano algum deseja? Por que a presidente Dilma deu-se ao ridículo de fazer declarações atribuindo a mim a culpa do petrolão?

Não sabem ambos que quem está arruinando a Petrobras (espero que passageiramente) é o PT, que, no afã de manter o poder, criou tubulações entre os cofres da estatal e sua tesouraria? Será que a lógica do "marketismo" eleitoral continuará a guiar os passos da presidente e de seu partido? Não percebem que a situação nacional requer novos consensos, que não significam adesão ao governo, mas viabilidade para o Brasil não perder suas oportunidades históricas?

Confesso que tenho dúvidas se o sentimento nacional, o interesse popular serão suficientes para dar maior têmpera e grandeza a tais líderes, mesmo diante das circunstâncias potencialmente dramáticas das quais nos aproximamos. Num momento que exigiria grandeza, o que se vê é a miséria da política.

# Oposição e reconstrução*

As oposições devem começar a desenhar outro percurso na economia e na política. Devem iniciar no Congresso o diálogo sobre a reforma política.

Nas últimas semanas tenho dado entrevistas aos jornais e às TVs, talvez mais do que devesse ou a prudência indicasse. Por quê? A mídia anda em busca de quem diga o que pensa sobre o *caos* (a qualificação é oficiosa, vem da Secretaria de Comunicação Social da Presidência da República) em que estaríamos mergulhados, e é necessário que vozes da oposição sejam ouvidas.

A crise atual marca o fim de um período, embora ainda não haja percepção clara sobre o que virá. Em crises anteriores, as forças opostas ao governo estavam organizadas, tinham objetivos definidos. Foi assim com a queda de Getúlio Vargas em 1945, quando a vitória dos Aliados impunha a democracia; idem na segunda queda de Getúlio, quando seus opositores temiam a instauração da *República sindicalista*. O parlamentarismo, igualmente, serviu de esparadrapo para que João Goulart pudesse tomar posse.

---

* Originalmente publicado nos jornais *O Estado de S. Paulo* e *O Globo*, em 5 de abril de 2015.

Em 1964 as marchas das famílias pela liberdade aglutinaram as forças políticas aos militares contra o populismo presidencial e, posteriormente, entregaram-se a práticas autoritárias; deu-se o mesmo, por fim, quando a frente de oposição, liderada pelo PMDB, em aliança com dissidentes da antiga Arena, pôs fim ao regime criado em 1964.

Em todos esses casos, previamente ao desenlace, houve o enfraquecimento da capacidade de governar e os opositores tinham uma visão política alternativa com implicações econômicas e sociais, embora se tratasse fundamentalmente de crises políticas. Mesmo no impeachment de Collor, a crise e a solução eram políticas. Naturalmente, ajustes econômicos foram feitos em seguimento às soluções políticas, basta lembrar a dupla Roberto Campos e Octavio Bulhões nos anos 1960. Ou ainda, os planos Cruzado e Real, que se seguiram à Constituinte e à derrocada de Fernando Collor.

No que se distingue o *caos* atual? Em que ele é mais diretamente a expressão do esgotamento de um modelo de crescimento da economia (como também em 1964 e nas Diretas Já), embora ainda não se veja de onde virá o novo impulso econômico. Mais do que de uma crise passageira, o *caos* atual revela um esgotamento econômico e a exaustão das formas político-institucionais vigentes. Será necessário, portanto, agir e ter propostas em vários níveis.

Embora haja alguma similitude com a situação enfrentada na crise de Jango, nem por isso a *saída* desejada é golpista — e muito menos militar. Não há pressões institucionais para derrubar o governo, e todos queremos manter a democracia.

Explico-me: a pretensão hegemônica do lulopetismo assentou-se, até a crise mundial de 2008, na coincidência entre a enorme expansão do comércio mundial e a alta do preço das commodities, com a continuidade das boas práticas econômicas e sociais dos governos Itamar Franco/Fernando Henrique Cardoso.

Estas práticas foram expandidas no primeiro mandato de Lula, ao que se somou a reação positiva à crise financeira mundial. Ao longo do seu segundo mandato, o lulopetismo assumiu ares hegemônicos e obteve, ao mesmo tempo, a aceitação do povo (emprego elevado, Bolsa Família, salário mínimo real aumentado) e o consentimento das camadas econômicas dominantes (bolsa BNDES para os empresários, Tesouro em comunicação indireta com o financiamento das empresas, Caixa Econômica Federal ajudando quem precisasse).

Só que o boom externo acabou, os cofres do governo secaram e a galinha de ovos de ouro da *nova matriz econômica* — crédito amplo e barato e consumo elevado — perdeu condições de sustentabilidade. Isso no exato momento em que o governo Dilma pôs o pé no acelerador em vez de navegar com prudência. Daí que o discurso de campanha tenha sido um e a prática atual de governo, outra. Some-se a isso a crise moral, na qual o petrolão não é caso único.

As oposições devem começar a desenhar outro percurso na economia e na política. Como a crise, além de econômica e social, é de confiabilidade (o governo perdeu popularidade e credibilidade), começam a surgir vozes por *um diálogo* entre oposições e governo. Problema: qual o limite entre diálogo político e *conchavo*, ou seja, a busca de uma tábua de salvação para o governo e para os que são acusados de corrupção?

A reconstrução de uma vida democrática saudável e uma saída econômica viável requerem *passar a limpo* o país: que prossigam as investigações e que a Justiça se cumpra. Ao mesmo tempo há que construir novos modos de funcionamento das instituições políticas e das práticas econômicas.

As oposições devem iniciar no Congresso o diálogo sobre a reforma política. Em artigo luminoso do senador José Serra, publicado no *Estadão* de 26 de fevereiro, estão alinhadas medidas positivas, tanto para a reforma eleitoral como para práticas de governo. Iniciar a proposta de voto distrital misto nas eleições para vereador em municípios com mais de 200 mil eleitores é algo inovador (o senador Aloysio Nunes fez proposta semelhante).

Há sugestões de igual mérito na área administrativa, como a criação da Nota Fiscal Brasileira, e ainda a corajosa e correta crítica ao regime de partilha que levou a Petrobras a se superendividar. De igual modo, o senador Tasso Jereissati apresentou emenda moralizadora sobre o financiamento das eleições, impondo tetos de doação de até R$ 800 mil para os conglomerados empresariais e restrições de acesso ao financiamento público às empresas doadoras. Partidos que até agora apoiam o governo, como o PMDB, também têm propostas a serem consideradas.

Sei que não basta reformar os partidos e o código eleitoral. Mas é um bom começo para a oposição que, além de ir às ruas para apoiar os movimentos populares moralizadores e reformistas, deve assumir sua parte de responsabilidade na condução do país para dias melhores. Deste governo há pouco a esperar, mesmo quando, movido pelas circunstâncias, tenta corrigir os rumos. Tanto quanto popularidade, falta-lhe credibilidade.

## Desvendar a trama*

Eu preferiria não voltar ao tema arquibatido das crises que nos alcançaram. Mas é difícil. Vira e mexe, elas atingem o bolso e a alma das pessoas. Na última semana o início de recessão repercutiu fortemente sobre a taxa de desemprego. Considerando apenas as seis principais metrópoles, ela atingiu 6,2%, a maior taxa desde 2001. A Petrobras, ao tentar virar uma página de sua história recente, pôs em evidência que o *propinoduto*, enorme (R$ 6 bilhões), é incomparavelmente menor do que o *asnoduto* dos projetos megalômanos e malfeitos: R$ 40 bilhões. São cifras casadas, pois quanto piores ou mais incompletos os projetos de obras, mais fácil se torna aumentar seu custo e desviar o dinheiro para fins pessoais ou partidários.

O setor elétrico foi vítima de males semelhantes (só à Petrobras as "pedaladas" da Eletrobras custaram R$ 4,5 bilhões), e não é o único no qual os desmandos vêm se tornando públicos. Se algum dia se abrirem as contas da Caixa Econômica Federal, vai-se ver que o FGTS dos trabalhadores deu *funding* para uma instituição bancária

---

* Originalmente publicado nos jornais *O Estado de S. Paulo* e *O Globo*, em 3 de maio de 2015.

pública fazer empréstimos de salvamento a empreendimentos privados quebrados. No caso do BNDES, a despeito da competência de seus funcionários, emprestou-se muito dinheiro a empresas de solvabilidade discutível, também com recursos do Fundo de Amparo ao Trabalhador, o FAT, ou seja, dos trabalhadores (ou dos contribuintes), oriundos do Tesouro.

No afã de *acelerar o crescimento* usando o governo como principal incentivo, as contas públicas passaram a sofrer déficits crescentes. Pior, dada a conjuntura internacional negativa e o pouco avanço da produtividade nacional, também as contas externas apresentam índices negativos preocupantes quando comparados com o PIB brasileiro (cerca de 4%, com viés de alta). Pressionado pelas circunstâncias, o governo atual teve que entregar o comando econômico a quem pensa diferente dos festejados (pelos círculos petistas e adjacentes) autores da *nova matriz econômica*. Esta teria descoberto a fórmula mágica da prosperidade: mais crédito e mais consumo. O investimento, ora, é consequência do consumo... Sem que se precisasse prestar atenção às condições de credibilidade das políticas econômicas.

As consequências estão à vista: chegou a hora de apertar os cintos. Como qualquer governo responsável — antes se diria, erroneamente, neoliberal —, o atual começou a cortar despesas e a restringir o crédito. Há menos recursos para empréstimos, mais obras paradas, maior desemprego, e assim vamos numa espiral de agruras, fruto da correção dos desacertos do passado recente. Para datar: esta espiral de enganos começou a partir dos dois últimos anos do governo Lula. Agora, na hora de a onça beber água, embora sem reconhecer os desatinos, volta-se ao bom senso. Mas, cuidado, é preciso que haja senso.

Ajuste fiscal, às secas, sem confiança no governo, sem horizontes de crescimento e, pois, com baixo investimento, é como operação sem anestesia. Pior: política econômica requer dosagem, e nem sempre os bons técnicos avaliam bem a saúde geral do país. Também o cavalo do inglês aprendeu a não comer; só que morreu.

Não quero ser pessimista. Mas o que mais falta faz neste momento é liderança. Gente em quem a gente creia, que não só aponte os caminhos de saída, mas comece a percorrê-los. Não estou insinuando que sem impeachment não há solução. Nem dizendo o contrário, que impeachment é golpe. Estou apenas alertando que as lideranças brasileiras (e escrevo assim no plural) precisam se dar conta de que desta vez os desarranjos (não só no plano econômico, mas no político também) foram longe demais.

Reerguer o país requer primeiro passar a limpo os erros. Não haverá milagre econômico sem transformação política. Esta começa pelo aprofundamento da Operação Lava Jato, para deixar claro por que o país chegou aonde chegou. Não dispensa, contudo, profundas reformas políticas.

Não foram os funcionários da Petrobras os responsáveis pela roubalheira (embora alguns nela estivessem implicados). Nenhuma diretoria se mantém sem o beneplácito dos governos, nem muito menos o dinheirão todo que escapou pelo ralo foi apropriado apenas por indivíduos. Houve mais do que apadrinhamento político, construiu-se uma rede de corrupção para sustentar o poder e seus agentes (pessoas e partidos).

Não adianta a presidente dizer que tudo agora está no lugar certo na Petrobras. É preciso avançar nas investigações, mostrar a trama política corrupta e incompetente. Não só a Petrobras foi roubada, o país foi iludido com sonhos de grandeza, enquanto a roubalheira corria solta na principal companhia estatal do país.

Quase tudo o que foi feito nos últimos quatro mandatos foi anunciado como o "nunca antes feito neste país". É verdade, nunca mesmo se errou tanto em nome do desenvolvimento nacional nem jamais se roubou tanto sob a proteção desse manto encantado. Embora os diretores da Petrobras diretamente envolvidos na roubalheira devam ser penalizados, não foram eles os responsáveis maiores.

Quem enganou o Brasil foi o lulopetismo. Lula mesmo encharcou as mãos de petróleo como arauto da falsa autossuficiência. E agora, José? Não há culpabilidade política? Vai-se apelar aos "exércitos do MST" para encobrir a verdade?

É por isso que tenho dito que impeachment é uma medida prevista pela Constituição, pela qual não há que torcer, nem distorcer: havendo culpabilidade, que se puna. Mas a raiz dos desmandos foi plantada antes da eleição da atual presidente. Vem do governo de seu antecessor e padrinho político. O que já se sabe sobre o petrolão é suficientemente grave para que a sociedade repudie as forças e lideranças políticas que teceram a trama da qual o escândalo faz parte. Mas é preciso que a Justiça não se detenha antes que tudo seja posto às claras. Só assim será possível resgatar os nossos mais genuínos sentimentos de confiança no Brasil e no seu futuro.

# A responsabilidade das oposições*

Diante da paralisia governamental, da expansão incontrolada da ação legislativa, da recessão econômica e do ativismo da Justiça, vê-se muita cobrança: e as oposições e o PSDB? Sumiram? Que farão com os mais de cinquenta milhões de votos que receberam? Compreende-se a angústia, mas é preciso distinguir os papéis da oposição e os do Governo.

Como no jogo de xadrez, o governo joga com as pedras brancas, as iniciativas têm que partir dele. Tomou algumas no desespero, para enfrentar as agruras financeiras. Ao tomá-las, foi buscar quadros e medidas no arsenal da oposição. Quer isso dizer que a oposição deve ficar paralisada? Não.

Política econômica é questão de dosagem e de credibilidade. A dose parece excessiva, e todo esforço fiscal pode se esvair na falta de atividade econômica que encolhe a arrecadação. Segundo, sem um horizonte de esperança, qualquer ajuste pode ser letal.

Com este governo não há recuperação de credibilidade à vista, pois o cristal se quebrou. E os escândalos de cor-

* Originalmente publicado nos jornais *O Estado de S. Paulo* e *O Globo*, em 5 de julho de 2015.

rupção revelados diariamente se encarregam de corroer qualquer elo de confiança que o governo queira tecer.

Cabe às oposições mostrar no dia a dia, e não só no Congresso, que o sofrimento do povo é consequência da ação desatinada dos governos de Lula e Dilma — da dupla e não só da última —, que desdenharam das boas práticas de gestão do Estado. Só na Petrobras, os prejuízos causados por decisões erradas para atender a pressões políticas chegam a R$ 34 bilhões, fora os R$ 6 bilhões de propinas! Que dizer do desrespeito sistemático da Lei de Responsabilidade Fiscal? É prova de imprudência no uso do dinheiro público.

É preciso reavivar a memória do povo, a cada instante, para mostrar que este ajuste violento não corresponde ao que foi pregado pelo PSDB, não é *o que o Aécio Neves faria*. O ajuste vai cair nos ombros da população. O aumento de impostos pega todos, empresários e consumidores; desemprego e reajustes salariais abaixo da inflação pegam os trabalhadores. A alta das taxas de juros em doses excessivas aumenta a dívida pública e dificulta o próprio ajuste. Estas medidas podem eventualmente controlar a inflação, mas reduzem a massa salarial e diminuem o consumo. Como o governo não corta despesas, a retomada do crescimento — se houver — terá sido conseguida a enorme custo para o povo.

O refrão das oposições deve ser: chegamos a tais medidas e ao descalabro atual porque os governos lulopetistas foram irresponsáveis, não se preocuparam em controlar o gasto público e enganaram o povo, enveredando pela megalomania. Os royalties do pré-sal, diziam, vão resolver os problemas da educação, faremos ao mesmo tempo o trem-bala, a transposição do São Francisco, a Norte-Sul e a Transnordestina, sem falar nos oitocentos aeroportos! Concessão de serviço público é coisa de "vende-pátria" neoliberal. Daremos empréstimos no FIES e no Minha Casa Minha Vida, as bolsas acomodarão os miseráveis e o BNDES dará subsídios em abundância aos empresários. O Tesouro pagará a farra.

Tanto pior, melhor? Não. Anotada e registrada a responsabilidade política do petismo, as oposições, em particular o PSDB, têm compromissos com a nação. Nada justifica arruinar ainda mais o futuro, votando pela derrubada do fator previdenciário. Nada explica apoiar aumentos de gasto que no futuro serão pagos com mais impostos, mais inflação e mais ajustes. Em suma, a oposição deve criticar as políticas petistas, e não se confundir com elas. Não deve, porém, votar contra os interesses da nação.

Espera-se mais das oposições. Espera-se que apresentem sua visão de futuro, apontando um rumo ao país. Espera-se que se comprometam com a construção de uma economia de baixo carbono, impulsionada pela inovação, regida por regras claras e estáveis, com agências regulatórias independentes, mais e melhor integrada ao mundo e às cadeias globais de valor.

Espera-se que defendam a "reindustrialização" do país, sem hesitar na crítica a políticas canhestras de conteúdo nacional que, sob a pretensão enganosa de estimular a produção local, acabam por isolar o Brasil e condená-lo à obsolescência tecnológica.

Espera-se que façam da educação não um slogan, mas de fato uma prioridade do Estado e da sociedade, que tenham a coragem de dizer que, embora avançando, o Brasil está ficando para trás em relação a países comparáveis ao nosso, que, diante da sombra que esse quadro projeta sobre o futuro do país, não receiem enfrentar dogmas e pressões corporativas que dificultam reformas e inovações indispensáveis a um salto de qualidade em matéria de educação.

Espera-se das oposições que sejam progressistas também no campo comportamental: que não defendam a redução da maioridade penal, mas sim a extensão da pena dos menores infratores em dependências que sejam condizentes com a dignidade humana; que apoiem como legítimo e justo o casamento entre pessoas do mesmo sexo; que não fujam ao debate sobre as drogas, que não temam proclamar que o encarceramento dos usuários é parte do problema e não da solução; que sejam assertivas na luta pela igualdade de gênero e contra o preconceito e a discriminação racial, com o uso adequado de cotas e demais medidas compensatórias; e que não aceitem retrocessos legais na questão das terras indígenas

Espera-se das oposições, sobretudo, que reafirmem seus valores democráticos. Que digam, em alto e bom som, ser possível e necessário atuar contra a deliberada violação de direitos humanos, principalmente em países vizinhos, sem com isso ferir o princípio da não intervenção.

Da mesma maneira, espera-se que reiterem não ter o propósito antidemocrático de derrubar governos, mas tampouco o temor de cumprir seus deveres constitucionais, se os fatos e a lei assim o impuserem.

# Outros escritos

# O papel da oposição*

Há muitos anos, na década de 1970, escrevi um artigo com o título acima no jornal *Opinião*, que pertencia à chamada imprensa nanica, mas era influente. Referia-me ao papel do MDB e das oposições não institucionais. Na época me parecia ser necessário reforçar a frente única antiautoritária, e eu conclamava as esquerdas não armadas, sobretudo as universitárias, a se unirem com um objetivo claro: apoiar a luta do MDB no Congresso e mobilizar a sociedade pela democracia.

Só dez anos depois a sociedade passou a atuar mais diretamente em favor dos objetivos pregados pela oposição, aos quais se somaram também palavras de ordem econômica, como o fim do *arrocho salarial*. No entretempo vivia-se no embalo do crescimento econômico e da aceitação popular dos generais presidentes; o mais criticado pelas oposições em função do aumento de práticas repressivas, o general Emílio Garrastazu Médici, foi o mais popular: 75% de aprovação.

Não obstante não desanimávamos. Graças à persistência de algumas vozes, como a de Ulisses Guimarães, às

* Originalmente publicado na revista *Interesse Nacional*, ano 4, n. 13, abril-junho de 2011.

inquietações sociais manifestadas pelas greves do final da década e ao aproveitamento pelos opositores de toda brecha que os atropelos do exercício do governo ou as dificuldades da economia proporcionaram (como as crises do petróleo, o aumento da dívida externa e a inflação) as oposições não calavam. Em 1974 o MDB até alcançou expressiva vitória eleitoral em pleno regime autoritário. Por que escrevo isso novamente, 35 anos depois?

Para recordar que cabe às oposições, como é óbvio e quase ridículo de escrever, oporem-se ao governo. Mas para tal precisam afirmar *posições*, pois, se não falam em nome de alguma causa, alguma política e alguns valores as vozes se perdem no burburinho das maledicências diárias sem chegar aos ouvidos do povo. Todas as vozes se confundem e não faltará quem diga — pois dizem mesmo sem ser certo — que todos, governo e oposição, são farinhas do mesmo saco, no fundo *políticos*. E o que se pode esperar dos políticos, pensa o povo, senão a busca de vantagens pessoais, quando não clientelismo e corrupção?

Diante do autoritarismo era mais fácil fincar estacas em um terreno político e alvejar o outro lado. Na situação presente as dificuldades são maiores. Isso graças à convergência entre dois processos não totalmente independentes: o *triunfo do capitalismo* entre nós (sob sua forma global, diga-se) e a adesão progressiva — no começo envergonhada e por fim mais deslavada — do petismo lulista à nova ordem e a suas ideologias. Se a estes processos somarmos o efeito dissolvente que o carisma de Lula produziu nas instituições, as oposições têm de se situar politicamente em um quadro complexo.

Complexidade crescente a partir dos primeiros passos do governo Dilma Rousseff que, com estilo até agora contrastante com o do antecessor, pode envolver parte das classes médias. Estas, a despeito dos êxitos econômicos e da publicidade desbragada do governo anterior, mantiveram certa reserva diante de Lula. Esta reserva pode diminuir com relação ao governo atual se ele, seja por que razão for, comportar-se de maneira distinta do governo anterior. É cedo para avaliar a consistência de mudanças no estilo de governar da presidente Dilma. Estamos no início do mandato, e os sinais de novos rumos dados até agora são insuficientes para avaliar o percurso futuro.

## É preciso refazer caminhos

Antes de especificar estes argumentos, esclareço que a maior complexidade para as oposições se firmarem no quadro atual — comparando com o que ocorreu no regime autoritário e mesmo com o petismo durante meu governo, pois o PT mantinha uma retórica *semianticapitalista* — não diminui a importância de fincar a oposição no terreno da política e dos valores, para que não se perca no oportunismo nem perca eficácia e sentido, aumentado o desânimo que leva à inação.

É preciso, portanto, refazer caminhos, a começar pelo reconhecimento da derrota: uma oposição que perde três disputas presidenciais não pode se acomodar com a falta de autocrítica e insistir em escusas que jogam a responsabilidade pelos fracassos no terreno *do outro*. Não estou, portanto, utilizando o que disse acima para justificar certa perplexidade das oposições, mas para situar melhor o campo no qual se devem mover.

Se as forças governistas foram capazes de mudar camaleonicamente a ponto de reivindicarem o terem construído a estabilidade financeira e a abertura da economia formando os *campeões nacionais* — as empresas que se globalizam —, isso se deu porque as oposições minimizaram a capacidade de contorcionismo do PT que começou com a "Carta ao povo brasileiro", de junho de 1994, e se desnudou quando Lula foi simultaneamente ao Fórum Social de Porto Alegre e a Davos. Era o sinal de *adeus às armas*: socialismo só para enganar trouxas, nacional-desenvolvimentismo, só como *etapa*. Uma tendência, contudo, não mudou, a do hegemonismo, ainda assim, aceitando aliados de cabresto.

Segmentos numerosos das oposições de hoje, mesmo no PSDB, aceitaram a modernização representada pelo governo FHC com dor de consciência, pois sentiam bater no coração as mensagens atrasadas do esquerdismo petista ou de sua leniência com o empreguismo estatal. Não reivindicaram com força, por isso mesmo, os feitos da modernização econômica e do fortalecimento das instituições, fato muito bem exemplificado pela displicência em defender os êxitos da privatização ou as políticas saneadoras, ou de recusar com vigor a mentira repetida de que houve compra de votos pelo governo para a aprovação da emenda da reeleição, ou denunciar atrasos institucionais, como a perda de autonomia e importância das agências reguladoras.

Da mesma maneira, só para dar mais alguns exemplos, o Programa de Estímulo à Reestruturação e ao Fortalecimento do Sistema Financeiro Nacional, o Proer, e o Programa de Incentivo à Redução do Setor Público na Esfera Estatal, o Proes, graças aos quais o sistema financeiro se tornou mais sólido, foram solenemente ignorados quando não estigmatizados. Os efeitos positivos da quebra dos monopólios, o do petróleo mais que qualquer outro, levando a Petrobras a competir e a atuar como empresa global e não como repartição pública, não foram reivindicados como êxitos do PSDB. O estupendo sucesso da Vale, da Embraer ou das teles e da Rede Ferroviária sucumbiu no murmúrio maledicente de *privatarias*, que não existiram. A política de valorização do salário mínimo, que se iniciou no governo Itamar Franco e se firmou no do PSDB, virou glória do petismo. As políticas compensatórias iniciadas no governo do PSDB — as bolsas —, que o próprio Lula acusava de serem esmolas e quase naufragaram no natimorto Fome Zero, voltaram a brilhar na boca de Lula, pai dos pobres, diante do silêncio da oposição e do deslumbramento do país e... do mundo!

Não escrevo isso como lamúria, nem com a vã pretensão de imaginar que é hora de reivindicar feitos do governo peessedebista. Inês é morta, o passado... passou. Nem seria justo dizer que não houve nas oposições quem mencionasse com coragem muito do que fizemos e criticasse o lulismo. As vozes dos setores mais vigorosos da oposição se estiolaram, entretanto, nos muros do Congresso, e este perdeu força política e capacidade de ressonância.

Os partidos se transformaram em clubes congressuais, abandonando as ruas; muitos parlamentares trocaram o exercício do poder no Congresso por um prato de lentilhas: a cada nova negociação para assegurar a *governabilidade*, mais vantagens recebem os congressistas e menos força político-transformadora tem o Congresso. À medida que a maioria dos partidos e dos parlamentares foi entrando no jogo de fazer emendas ao orçamento — para beneficiar suas regiões, interesses (legítimos ou não) de entidades e, por fim, sua reeleição —, o Congresso foi perdendo relevância e poder.

Consequentemente as vozes parlamentares, em especial as de oposição — que são as que mais precisam da instituição parlamentar para que seu brado seja escutado —, perderam ressonância na sociedade. Com a aceitação sem protesto do *modo lulista de governar* por meio de medidas provisórias, para que serve o Congresso senão para chancelar decisões do Executivo e receber benesses? Principalmente quando muitos congressistas estão dispostos a fazer o papel de maioria obediente a troco da liberação pelo Executivo das verbas de suas emendas, sem esquecer que alguns oposicionistas embarcam na mesma canoa.

Ironicamente, uma importante modificação institucional, a descentralização da ação executiva federal, estabelecida na Constituição de 1988 e consubstanciada desde os governos Itamar Franco e FHC, diluiu sua efetividade técnico-administrativa em uma pletora de recursos orçamentários "carimbados", isto é, de orientação político-clientelista definida, acarretando sujeição ao Poder Central, ou melhor, a quem o simboliza pessoalmente e ao partido hegemônico. Neste sentido, diminuiu o papel político dos governadores, bastião do oposicionismo em estados importantes, pois a relação entre prefeituras e governo federal saltou os governos estaduais e passou a se dar mais diretamente na Presidência da República, por meio de uma Secretaria Especial colada ao gabinete presidencial.

Como, por outra parte, existe — ou existiu até há pouco — certa folga fiscal, e a sociedade passa por período de intensa mobilidade social movida pelo dinamismo da economia internacional e pelas políticas de expansão do mercado interno que geram emprego, o desfazimento institucional produzido pelo lulismo e a difusão de práticas clientelísticas e corruptoras foram sendo absorvidos, diante da indiferença da sociedade. Na época do mensalão houve um início de desvendamento do novo Sistema (com S maiúsculo como se escrevia para descrever o modelo político criado pelos governos militares).

Então ainda havia indignação em relação às denúncias que a mídia fazia e que os partidos ecoavam no Parlamento. Pouco a pouco, embora a mídia continue a fazer denúncias, a própria opinião pública, isto é, os setores da opinião nacional que recebem informações, como que se anestesiou. Os cidadãos cansaram de ouvir tanto horror perante os céus sem que nada mude.

## Diante deste quadro, o que podem fazer as oposições?

Em primeiro lugar não manter ilusões: é pouco o que os partidos podem fazer para que a voz de seus parlamentares alcance a sociedade. É preciso que as oposições se deem conta de que existe um público distinto do que se prende ao jogo político tradicional e ao que é mais atingido pelos mecanismos governamentais de difusão televisiva e midiática em geral. As oposições se baseiam em partidos não propriamente mobilizadores de massas. A definição de qual é o outro público a ser alcançado pelas oposições e como fazer para chegar até ele e ampliar a audiência crítica é fundamental.

Enquanto o PSDB e seus aliados persistirem em disputar com o PT influência sobre os *movimentos sociais* ou o "povão", isto é, sobre as massas carentes e pouco informadas, falarão sozinhos. Isto porque o governo *aparelhou*, cooptou com benesses e recursos as principais centrais sindicais e os movimentos organizados da sociedade civil. Além disso, dispõe de mecanismos de concessão de benesses às massas carentes, mais eficazes do que a palavra dos oposicionistas, e da influência exercida na mídia com as verbas publicitárias.

Sendo assim, dirão os céticos, as oposições estão perdidas, pois não atingem a maioria. Só que a realidade não é bem essa. Existe toda uma gama de classes médias, de novas classes possuidoras (empresários de novo tipo e mais jovens), de profissionais das atividades contemporâneas ligadas à TI e ao entretenimento, aos novos serviços espalhados pelo Brasil afora, às quais se soma o que vem sendo chamado sem muita precisão de *classe C* ou de nova classe média.

Digo imprecisamente porque a definição de classe social não se limita às categorias de renda (a elas se somam educação, redes sociais de conexão, prestígio social etc.), mas não para negar a extensão e a importância do fenômeno. Pois bem, a imensa maioria destes grupos — sem excluir as camadas de trabalhadores urbanos já integrados ao mercado capitalista — está ausente do jogo político-partidário, mas não desconectada das redes de internet, Facebook, YouTube, Twitter etc.

É a estes que as oposições devem dirigir suas mensagens prioritariamente, sobretudo no período entre as eleições, quando os partidos falam para si mesmo, no Congresso e nos governos. Se houver ousadia, os partidos de oposição podem organizar-se pelos meios eletrônicos, dando vida não a diretórios burocráticos, mas a debates verdadeiros sobre os temas de interesse dessas camadas.

Mas não é só isso: as oposições precisam voltar às salas universitárias, às inúmeras redes de palestras que se propagam pelo país afora, e não devem, obviamente, desacreditar do papel da mídia tradicional. Com toda a modernização tecnológica, sem a sanção derivada da confiabilidade que só a tradição da grande mídia assegura, tampouco as mensagens, mesmo que difundidas, transformam-se em marcas reconhecidas.

Além da persistência e da ampliação destas práticas, é preciso buscar novas formas de atuação para que a oposição esteja presente ou pelo menos para que entenda e repercuta o que ocorre na sociedade. Há inúmeras organizações de bairro, um sem-número de grupos musicais e culturais nas periferias das grandes cidades etc., organizações voluntárias de solidariedade e de protesto, redes de consumidores, ativistas do meio ambiente, e por aí vai, que atuam por conta própria. Dado o anacronismo das instituições político-partidárias, seria talvez pedir muito aos partidos que mergulhem na vida cotidiana e tenham ligações orgânicas com grupos que expressam as dificuldades e anseios do homem comum. Mas que pelo menos ouçam suas vozes e atuem em consonância com elas.

Não deve existir uma separação radical entre o mundo da política e a vida cotidiana, muito menos entre valores e interesses práticos. No mundo interconectado de hoje, vê-se, por exemplo, o que ocorre com as revoluções no meio islâmico, movimentos *protestatários* irrompem sem uma ligação formal com a política tradicional. Talvez as discussões sobre os meandros do poder não interessem ao povo no dia a dia tanto quanto os efeitos devastadores das enchentes ou o sufoco de um trânsito que não anda nas grandes cidades. Mas, de repente, se dá um "curto-circuito", e o que parecia não ser *política* se politiza. Não foi o que ocorreu nas eleições de 1974 ou na campanha das Diretas Já? Nestes momentos o pragmatismo de quem luta para sobreviver no dia a dia lidando com questões *concretas* se empolga com crenças e valores.

O discurso, noutros termos, não pode ser apenas o institucional, tem de ser o do cotidiano, mas não desligado de valores. Obviamente em nosso caso, o de uma democracia, não estou pensando em movimentos contra a ordem política global, mas em aspirações que a própria sociedade gera e que os partidos precisam estar preparados para, se não as tiverem suscitado por sua desconexão, poder senti-las e encaminhá-las na direção política desejada.

Seria erro fatal imaginar, por exemplo, que o discurso *moralista* é coisa de elite à moda da antiga UDN. A corrupção continua a ter o repúdio não só das classes médias como de boa parte da população. Na última campanha eleitoral o momento de maior crescimento da candidatura Serra e de aproximação aos resultados obtidos pela candidata governista foi quando veio à tona o *episódio Erenice*. Mas é preciso ter coragem de dar o nome aos bois e vincular a *falha moral* a seus resultados práticos, negativos para a população. Mais ainda: é preciso persistir, repetir a crítica, ao estilo do *beba Coca-Cola* dos publicitários. Não se trata de dar-nos por satisfeitos, à moda de demonstrar um teorema e escrever "cqd", como queríamos demonstrar. Seres humanos não atuam por motivos meramente racionais. Sem a teatralização que leve à emoção, a crítica — moralista ou outra qualquer — cai no vazio. Sem Roberto Jefferson não teria havido mensalão como fato político.

## Qual é a mensagem?

Por certo, os oposicionistas, para serem ouvidos, precisam ter o que dizer. Não basta criar um público, uma audiência e um estilo, o conteúdo da mensagem é fundamental. Qual é a mensagem? O maior equívoco das oposições, especialmente a do PSDB, foi o de haver posto à margem as mensagens de modernização, de *aggiornamento* do país, e de clara defesa de uma sociedade democrática comprometida com causas universais, como os direitos humanos e a luta contra a opressão, mesmo quando esta vem mascarada de progressismo, apoiada em políticas de distribuição de rendas e de identificação das massas com o chefe.

Nas modernas sociedades democráticas, por outro lado, o Estado tanto mantém funções na regulação da economia como em sua indução, podendo chegar a exercer papel como investidor direto. Mas o que caracteriza o Estado em uma sociedade de massas madura é sua ação democratizadora. Os governos devem tornar claros, transparentes, e o quanto possível imunes à corrupção, os mecanismos econômicos que cria para apoiar o desenvolvimento da economia. Um Estado moderno será julgado por sua eficiência para ampliar o acesso à educação, à saúde e à previdência social, bem como pela qualidade da segurança que oferece às pessoas. Cabe às oposições serem a vanguarda nas lutas por estes objetivos.

Defender o papel crescente do Estado nas sociedades democráticas, inclusive em áreas produtivas, não é contraditório com a defesa da economia de mercado. Pelo contrário, é preciso que a oposição diga em alto e bom som que os mecanismos de mercado, a competição, as regras jurídicas e a transparência das decisões são fundamentais para o Brasil se modernizar, crescer economicamente e se desenvolver como sociedade democrática.

Uma sociedade democrática amadurecida estará sempre comprometida com a defesa dos direitos humanos, com a ecologia e com o combate à miséria e às doenças, no país e em toda parte. E compreende que a ação isolada do Estado, sem a participação da sociedade, inclusive dos setores produtivos privados, é insuficiente para gerar o bem-estar da população e oferecer bases sólidas para um desenvolvimento econômico sustentado.

Ao invés de se aferrarem a esses valores e políticas que lhes eram próprios como ideologia e como prática, as oposições abriram espaço para que o lulopetismo ocupasse a cena da modernização econômica e social. Só que eles têm os pés de barro: a cada instante proclamam que as privatizações *do PSDB* foram contra a economia do país, embora comecem a fazer descaradamente concessões de serviços públicos nas estradas e nos aeroportos, como se não estivessem fazendo na prática o mea-culpa.

Cabe às oposições não apenas desmascarar o cinismo, mas, sobretudo, cobrar o desenvolvimento do país: onde está a infraestrutura que ficou bloqueada em seus avanços, pelo temor de apelar à participação da iniciativa privada nos portos, aeroportos, na geração de energia e assim por diante? Quão caro já estamos pagando pela ineficiência de agências reguladoras entregues a sindicalistas *antipri-*

*vatizantes* ou a partidos clientelistas, como se tornou o PCdoB, que, além de vender benesses no Ministério dos Esportes, embota a capacidade controladora da ANP, a Agência Nacional do Petróleo, Gás Natural e Biocombustíveis, que deveria evitar que o monopólio voltasse por vias transversas e prejudicasse o futuro do país?

## Oposição precisa vender o peixe

Dirão novamente os céticos que nada disso interessa diretamente ao povo. Ora, depende de como a oposição venda o peixe. Se tomarmos como alvo, por exemplo, o atraso nas obras necessárias para a realização da Copa e especializarmos três ou quatro parlamentares ou técnicos para martelar no dia a dia, nos discursos e na internet, o quanto não se avança nestas áreas por causa do burocratismo, do clientelismo, da corrupção ou simplesmente da viseira ideológica que impede a competição construtiva entre os setores privados e destes com os monopólios, e se mostrarmos à população como ela está sendo diretamente prejudicada pelo estilo petista de política, criticamos este estilo de governar, suscitamos o interesse popular e ao mesmo tempo oferecemos alternativas.

Na vida política tudo depende da capacidade de politizar o apelo e de dirigi-lo a quem possa ouvi-lo. Se gritarmos por todos os meios disponíveis que a dívida interna de R$ 1 trilhão e R$ 690 bilhões (mostrando com exemplos ao que isto corresponde) é assustadora, que estamos pagando R$ 50 bilhões por ano para manter reservas elevadas em dólares, que pagamos a dívida (pequena) ao FMI sobre a qual incidiam juros moderados, trocando-a por dívidas em reais com juros enormes, se mostrarmos o quanto custa a cada contribuinte cada vez que o Tesouro transfere ao BNDES dinheiro que o governo não tem e por isso toma emprestado ao mercado pagando juros de 12% ao ano, para serem emprestados pelo BNDES a juros de 6% aos grandes empresários nacionais e estrangeiros, temos discurso para certas camadas da população.

Este discurso deve desvendar, ao mesmo tempo, o porquê de o governo assim proceder: está criando um bloco de poder capitalista-burocrático que sufoca as empresas médias e pequenas e concentra renda. Este tipo de política mostra descaso pelos interesses dos assalariados, dos pequenos produtores e profissionais liberais de tipo antigo e novo, setores que, em conjunto, custeiam as benesses concedidas ao grande capital com impostos que lhe são extraídos pelo governo. O lulopetismo não está fortalecendo o capitalismo em uma sociedade democrática, mas sim estimulando o capitalismo monopolista e burocrático que fortalece privilégios e corporativismos.

## Petistas camaleões

Com argumentos muito mais fracos, o petismo acusou o governo do PSDB quando, em fase de indispensável ajuste econômico, aumentou a dívida interna (ou melhor, reconheceu os "esqueletos" compostos por dívidas passadas) e usou recursos da privatização — todos contabilizados — para reduzir seu crescimento. A dívida pública consolidada do governo lulista foi muito maior do que a herdada por este do governo passado, e, no entanto, a opinião pública não tomou conhecimento do fato. As oposições não foram capazes de politizar a questão. E o que está acontecendo agora quando o governo discute substituir o Fator Previdenciário, recurso de que o governo do PSDB lançou mão para mitigar os efeitos da derrota sofrida para estabelecer uma idade mínima de aposentadoria? Propondo a troca do Fator Previdenciário pela definição de... uma idade mínima de aposentadoria.

Se os governistas são camaleões (ou melhor, os petistas, pois boa parte dos governistas nem isso são: votavam com o governo no passado e continuam a votar hoje, como votarão amanhã), em vez de saudá-los porque se aproximam da racionalidade — ou de votarmos contra esta mesma racionalidade negando nossas crenças de ontem —, devemos manter a coerência e denunciar as falsidades ideológicas e o estilo de política de mistificação dos fatos, tantas vezes sustentado pelo petismo.

São inumeráveis os exemplos sobre como manter princípios e atuar como uma oposição coerente. Mesmo na questão dos impostos, quando o PSDB e o DEM junto com o PPS ajudaram a derrubar a CPMF, mostraram que, coerentes, dispensaram aquele imposto porque ele já não era mais necessário, como ficou demonstrado pelo contínuo aumento da receita depois de sua supressão. É preciso continuar a fazer oposição à continuidade do aumento de impostos para custear a máquina público-partidária e o capitalismo burocrático dos novos dinossauros.

É possível mostrar o quanto pesa no bolso do povo cada despesa feita para custear a máquina público-partidária e manter o capitalismo burocrático dos novos dinossauros. E, para ser coerente, a oposição deve lutar desde já pela redução drástica do número de cargos em comissão, nomeados discricionariamente, bem como pelo estabelecimento de um número máximo de ministérios e secretarias especiais, para conter a fúria de apadrinhamento e de conchavos partidários à custa do povo.

Em suma: não há oposição sem *lado*. Mais do que ser de um partido, é preciso *tomar partido*. É isso que a sociedade civil faz nas mais distintas matérias. O que o PSDB pensa sobre liberdade e pluralidade religiosa? Como manter a independência do Estado laico e ao mesmo tempo prestigiar e respeitar as religiões que formam redes de coesão social, essenciais para a vida em sociedade? O que pensa o partido sobre o combate às drogas? É preciso ser claro e sincero: todas as drogas causam danos, embora de alcance diferente. Adianta botar na cadeia os drogados?

## Sinceridade comove a população

Há casos nos quais a regulação vale mais que a proibição: veja-se o tabaco e o álcool, ambos extremamente daninhos. São não apenas regulados em sua venda e uso (por exemplo, é proibido fumar em locais fechados ou dirigir alcoolizado), como estigmatizados por campanhas publicitárias, pela ação de governos e das famílias. Não seria o caso de fazer a mesma coisa com a maconha, embora não com as demais drogas muito mais danosas, e concentrar o fogo policial no combate aos traficantes das drogas pesadas e de armas? Se disso ainda não estivermos convencidos, pelo menos não fujamos à discussão, que já corre solta na sociedade. Sejamos sinceros: é a sinceridade que comove a população, e não a hipocrisia que pretende não ver o óbvio.

Se a regra é ser sincero, por que temer ir fundo e avaliar o que nós próprios fizemos no passado, acreditando estar certos, e que continua sendo feito, mas que requer uma revisão? Tome-se o exemplo da reforma agrária e dos programas de incentivo à economia familiar. Fomos nós do PSDB que recriamos o Ministério da Reforma Agrária e, pela primeira vez, criamos um mecanismo de financiamento da agricultura familiar, o Pronaf. Nenhum governo fez mais em matéria de acesso à terra do que o do PSDB quando a pasta da Reforma era dirigida por um membro do PPS.

Não terá chegado a hora de avaliar os resultados? O Pronaf não estará se transformando em mecanismo de perpétua renovação de dívidas, como os grandes agricultores faziam no passado com suas dívidas no Banco do Brasil? Qual é o balanço dos resultados da reforma agrária? E as acusações de *aparelhamento* da burocracia pelo PT e pelo MST, são de fato verdadeiras? Sem que a oposição afirme precipitadamente que tudo isso vai mal — o que pode não ser correto —, não pode temer buscar a verdade dos fatos, avaliar, julgar e criticar para corrigir.

Existe matéria em abundância para manter os princípios e para ir fundo nas críticas sem temer a acusação injusta de que se está defendendo *a elite*. Mas política não é tese universitária. É preciso estabelecer uma agenda. Geralmente esta é dada pelo governo. Ainda assim, usemo-la para concentrar esforços e dar foco, repetição e persistência à ação oposicionista. Tomemos um exemplo, o da reforma política, tema que o governo afirma estar disposto a discutir. Pois bem, o PSDB tem posição firmada na matéria: é favorável ao voto distrital (misto ou puro, ainda é questão indefinida). Se é assim, por que não recusar de plano a proposta da *lista fechada*, que reforça a burocracia partidária, não diminui o personalismo (ou alguém duvida que se pedirá votos para a lista *do Lula*?) e separa mais ainda o eleitor dos representantes?

## Compromisso com o voto distrital

Não é preciso afincar uma posição de intransigência: mantenhamos o compromisso com o voto distrital, façamos a pregação. Se não dispusermos de forças para que nossa tese ganhe, aceitemos apenas os melhoramentos óbvios no sistema atual: cláusula de desempenho (ou de barreira), proibição de coligações nas eleições proporcionais e regras de fidelidade partidária, ainda que para algumas destas medidas sejam necessárias mudanças constitucionais.

Deixemos para outra oportunidade a discussão sobre financiamento público das campanhas, pois sem a distritalização o custo para o contribuinte será enorme e não se impedirá o financiamento em *caixa preta* nem o abuso do poder econômico. Mas denunciemos o quanto de antidemocrático existe no voto em listas fechadas. Em suma: não será esta uma boa agenda para a oposição firmar identidade, contrapor-se à tendência petista de tudo burocratizar e, ao mesmo tempo, não se encerrar em um puro negativismo aceitando modificações sensatas?

Por fim, retomando o que disse acima sobre o *triunfo do capitalismo*. O governo do PT e o próprio partido embarcaram, sem dizer, na adoração do bezerro de ouro. Mas, marcados pelos cacoetes do passado, não perceberam que o novo na fase contemporânea do capitalismo não é apenas a acumulação e o crescimento da economia.

Os grandes temas que se estão desenhando são outros e têm a ver com o interesse coletivo: como expandir a economia sem destroçar o meio ambiente, como assegurar direitos aos destituídos deles, não só pela pobreza, mas pelas injustiças (desigualdades de gênero, de raça, de acesso à cultura)? Persistem preocupações antigas: como preservar a paz em um mundo no qual há quem disponha da bomba nuclear?

A luta pela desnuclearização tem a ver com o sentido de um capitalismo cuja forma *selvagem* a sociedade democrática não aceita mais. Esta nova postura é óbvia no caso da ecologia, pois o natural egoísmo dos Estados, na formulação clássica, choca-se com a tese primeira, a da perpetuação da vida humana. O terror atômico e o aquecimento global põem por terra visões enraizadas no terreno do nacional-estatismo arcaico.

Há um nacionalismo de novo tipo, democrático, aberto aos desafios do mundo e integrado nele, mas alerta aos interesses nacionais e populares. Convém redefinir, portanto, a noção do interesse nacional, mantendo-o persistente e alerta no que é próprio aos interesses do país, mas compatibilizando-o com os interesses da humanidade.

Estas formulações podem parecer abstratas, embora se traduzam no dia a dia: no Brasil ninguém discute sobre qual o melhor modo de nossa presença no mundo — será pelo velho caminho armamentista, nuclearizando-nos, ou nossas imensas vantagens comparativas em outras áreas, entre elas as do chamado *soft power*, podem primar? Por exemplo, nossa *plasticidade cultural mestiça*, a aceitação das diferenças raciais — sem que se negue e combata as desigualdades e preconceitos ainda existentes — não é um ganho em um mundo multipolar e multicultural?

E a disponibilidade de uma matriz energética limpa, sem exageros de muitas usinas atômicas (sempre perigosas), bem como os avanços na tecnologia do etanol, não nos dão vantagens? Por que não discutir, a partir daí, o ritmo em que exploraremos o pré-sal e a as obscuras razões para a *estatização do risco e divisão do lucro* entre a Petrobras e as multinacionais por meio do sistema de partilha? São questões que não exploramos devidamente ou cujas decisões estão longe de serem claramente compatíveis com o interesse nacional de longo prazo.

## Falta de estratégia

Na verdade, falta-nos estratégia. Estratégia não é plano de ação: é o peso relativo que se dá às questões desafiadoras do futuro somado à definição de como as abordaremos. Que faremos neste novo mundo para competir com a China, com os Estados Unidos ou com quem mais seja? Como jogar com nossos recursos naturais (petróleo à frente) como fator de sucesso e poder, sem sermos amanhã surpreendidos pelo predomínio de outras fontes de energia? E, acima de tudo, como transformar em políticas o anseio por uma *revolução educacional* que dê lugar à criatividade, à invenção e aos avanços das tecnologias do futuro?

A China, ao parecer, aprendeu as lições da última crise e está apostando na inovação, preparando-se para substituir as fontes tradicionais de energia, sobretudo o petróleo, de que não dispõe em quantidade suficiente para seu consumo crescente. E os próprios Estados Unidos, embora atônitos com os erros acumulados desde a gestão Bush, parecem capazes de continuar inovando, se conseguirem sair depressa da crise financeira que os engolfou.

De tudo isso o PT e seus governos falam, mas em zigue-zague. As amarras a uma visão oposta, vinda de seu passado recente, os inibem para avançar mais. Não é hora de as oposições serem mais afirmativas? E se por acaso, como insinuei no início deste artigo, houver divisões no próprio campo do petismo por causa da visão canhestra de muitos setores que apoiam o governo e de suas necessidades práticas o levarem a direções menos dogmáticas? Neste caso, embora seja cedo para especular, terá a oposição inteireza e capacidade política para aproveitar as circunstâncias e acelerar a desagregação do antigo e apostar no novo, no fortalecimento de uma so ciedade mais madura e democrática?

Engana-se quem pensar que basta manter a economia crescendo e oferecer ao povo a imagem de uma sociedade com mobilidade social. Esta, ao ocorrer, aumenta as demandas tanto em termos práticos, de salários e condições de vida, como culturais. Em um mundo interconectado pelos modernos meios de comunicação, o cidadão comum deseja saber mais, participar mais e avaliar por si se de fato as diferenças econômicas e sociais estão diminuindo.

Sem, entretanto, uma oposição que se oponha ao triunfalismo lulista, que coroa a alienação capitalista, desmistificando tudo que seja mera justificativa publicitária do poder e chamando a atenção para os valores fundamentais da vida em uma sociedade democrática, só ocorrerão mudanças nas piores condições: quando a fagulha de alguma insatisfação produzir um curto-circuito. Mesmo este adiantará pouco se não houver à disposição uma alternativa viável de poder, um caminho preparado por lideranças nas quais a população confie.

No mundo contemporâneo este caminho não se constrói apenas por partidos políticos, nem se limita ao jogo institucional. Ele brota também da sociedade, de seus blogs, tuítes, redes sociais, da mídia, das organizações da sociedade civil, enfim, é um processo coletivo.

Não existe apenas *uma oposição*, a da arena institucional; existem vários focos de oposição, nas várias dimensões da sociedade. Reitero: se as oposições institucionais não forem capazes de se ligar mais diretamente aos movimentos da vida, que pelo menos os ouçam e não tenham a pretensão de imaginar que pelo jogo congressual isolado alcançarão resultados significativos.

Os vários focos de insatisfação social, por sua vez, também podem se perder em demandas específicas a serem atendidas fragmentariamente pelo governo se não encontrarem canais institucionais que expressem sua vontade maior de transformação. As oposições políticas, por fim, se nada ou pouco tiverem a ver com as múltiplas demandas do cotidiano, como acumularão forças para ganhar a sociedade?

# Razão e emoção*

Agradeço com emoção a láurea recebida. A esta altura da vida, na quadra dos oitenta anos, havendo sido presidente do Brasil e tendo feito carreira universitária fragmentada em meu país, na França, nos Estados Unidos e no Chile — sem falar das muitas conferências em tantas outras terras — pode ser levemente ridículo dizer-lhes que vim a esta Biblioteca do Congresso não só com emoção, mas com certa timidez, para não dizer medo. É que o inesperado do prêmio, a qualidade intelectual dos poucos que o receberam, mais o caráter vetusto desta instituição me indicam que além de agradecer humildemente a honra devo evitar fazê-lo de forma banal.

Mas como? Para começar, a forma e a língua. Sempre preferi o improviso estudado à leitura maçante. A cultura brasileira é oral. Quem sabe, vestígios arqueológicos da cultura dos indígenas Tupinambá que, contam os antropólogos, reuniam-se no fim da tarde para arengar. A fala vai mais fundo à alma dos brasileiros do que a leitura.

* Discurso proferido na cerimônia de recebimento do Prêmio John W. Kluge de Humanidades, na Biblioteca do Congresso. Washington, EUA, 10 de julho de 2012.

Pensei em improvisar uma fala mais do que em ler uma conferência. Mas como *improvisar* diante de tão distinto auditório, ainda que preparando de antemão cada frase, cada ideia a ser exposta e cada tropeço que pudesse desviar a sisudez do tema para um quase humor. Talvez em português eu fosse capaz de aventurar-me sem notas escritas; quem sabe em espanhol ou até mesmo em francês, todas línguas latinas, cujo significado cultural e senso de humor se aproximam. Para mim, contudo, o universo linguístico saxônico pertence a *outra cultura*. A pronúncia me falha, a gramática pode ser um horror, e a graça, um "sem jeito" imperdoável.

Peço assim desculpas por tentar prender a atenção dos senhores e senhoras, meus amigos todos, com alguns minutos de má leitura. Espero que o texto consiga transmitir algo de minha experiência de vida intelectual e política. Não para justificar o prêmio recebido — que, mais que a meus méritos eventuais, devo à generosidade de quantos sobre ele opinaram, a começar pelo dr. Billington, figura ímpar na vida cultural americana —, mas para não decepcioná-los da decisão tomada.

Darei um tom mais pessoal e mnemônico aos comentários que seguem. Por duas razões principais: com o passar do tempo o conhecimento se funde — ou confunde — com a memória. E, ainda que imperceptivelmente, torna mais difícil dizer algo propriamente novo. Graças à amizade com outro notável homem de cultura americano, Albert Hirschman, fui duas vezes *fellow* do Institute for Advanced Study de Princeton. Lá, vi a ansiedade com que os jovens Ph.D em matemática ou física teórica viviam seus dias. Reza a lenda, ou quem sabe seja fato, que naquelas disciplinas a criatividade máxima se dá ao redor dos trinta anos de idade. É como se o saber estiolasse a ousadia da criação, que depende mais de imaginação do que de informação.

Buscava consolo para tão agônica situação ao pensar que talvez nas ciências humanas fosse diferente. Quem sabe nestas a maturidade trouxesse sabedoria. Mas será que a sabedoria é a base da criatividade ou a imaginação independe da acumulação de informações e saberes? Em qualquer disciplina, não só nas ciências naturais, na matemática e nas ciências humanas, mas também nas letras e nas artes, o que conta mesmo é a fresta de novidade aberta repentinamente. Esta pode dar-se pela junção de fragmentos antes esparsos ou pelo esclarecimento de algo ainda não percebido na vida humana ou na natureza, que só a luz divinatória de um gênio — como Pablo Picasso, por exemplo, ou Isaac Newton, quem sabe um Karl Marx — revela. Neste sentido, a imaginação supera o saber. Não o dispensa, por certo, pois só quem tem o treino mental e visual pode vislumbrar o novo e distingui-lo do antigo.

A imaginação se esboroa aos poucos com o passar do tempo, até porque ao se saber mais, mais se teme arriscar; tem-se maior consciência de que quase tudo já foi dito. É melhor evitar, portanto, o ridículo de pensar que se está inovando e apenas contar o que se conseguiu aprender, com a aspiração de que ao contar a própria história se esteja esclarecendo a de outros: *de te fabula narratur*, diziam os antigos.

•

Já houve quem ressaltasse as ambiguidades e dificuldades da dupla vocação, a de político e a de acadêmico, que são minhas também. Max Weber escreveu ensaios admiráveis sobre cada uma dessas vocações. E não falta quem mostre as divergências, quando não as oposições entre elas. Eu mesmo, em momentos de dificuldade para explicar por que tomei ou deixei de tomar esta ou aquela decisão política, apelei para a conhecida dicotomia entre a ética da responsabilidade, do homem público, e a dos valores finais, do sacerdote ou do profeta. Saída fácil para os embaraços que a teia das contradições do jogo político impõe a quem se aventure a fazer o *pacto com o demônio* que a busca do poder implica.

Minhas escolhas foram mais simples. Em vez de seguir as carreiras tradicionais das letras ou das leis, fui estudar sociologia na Universidade de São Paulo. Não sabia bem o que seria ensinado em um curso de Ciências Sociais. Tinha dezessete anos e queria mudar o mundo, ou mais modestamente, melhorar a vida no Brasil, onde, na década de 1950, a sociedade ainda era acanhada, a base agrária tradicional mantinha-se forte, embora não excludente de algum desenvolvimento urbano industrial. Eram tempos de migrações rural/urbanas intensas, das greves reivindicativas dos trabalhadores, da tentativa de firmar a democracia, embora Getúlio Vargas, que poucos anos antes governara como ditador, tivesse sido eleito presidente do Brasil. Elegeu-se e se tornou popular justamente por se ter apercebido de que a reivindicação social fazia parte da democracia.

Meus desejos, meus valores, refletiam o ambiente circundante. Vivia-se um momento que parecia abrir uma oportunidade para o Brasil se desenvolver, diminuir as desigualdades, democratizar-se. O impulso que o país ganhara durante a Segunda Grande Guerra com o fim da ameaça totalitária contagiava as pessoas.

Na faculdade dediquei-me com paixão a entender o novo desafio. Se René Descartes, que nos era ensinado em francês, por um professor do Collège de France, podia ser assimilado e seu *Discurso sobre o método* passava a ser nossa cartilha, bem mais difícil era entender Immanuel Kant, com seus princípios *a priori*. A inclinação para a clareza metódica se consubstanciava nas leituras de Émile Durkheim, com *As regras do método sociológico*. Levei tempo para ver que relação poderia haver entre minha preocupação social e política e a formação acadêmica que estava recebendo.

Li furiosamente Max Weber e procurei em sua *ação com sentido*, em suas distinções sobre as formas de dominação ou em sua visão do carisma como contrapeso à rotinização burocrática encontrar pontos de apoio para conciliar minhas aspirações práticas com o saber acadêmico. Passei por longas leituras, todas apaixonantes, de Karl Mannheim, com *Ideologia e utopia* e *Freedom, Power, and Democratic Planning* a Ferdinand Tönnies e Georg Simmel, sem esquecer da antropologia inglesa (de Radcliffe-Brown, Malinowski, Raymond Firth, Evans Pritchard etc.) para ver se fazia as pazes entre o que eu queria fazer e o que eu estudava. Passei pelos funcionalistas americanos, ensinados por meu mestre brasileiro, Florestan

Fernandes, por Talcott Parsons, que eu não entendia, até Robert Merton e Paul Lazarsfeld, e os inumeráveis *estudos de comunidades*, que ensinavam o caminho das análises funcionalistas e da pesquisa empírica.

Na busca de inspiração recorro até hoje, ecleticamente, desde o Marx de *O capital e O 18 de brumário de Luís Bonaparte*, até a Alexis de Tocqueville de *Da democracia na América* ou as *Lembranças de 1848*. Na verdade, os fundamentos de minha formação intelectual levaram-me à busca da clareza e do rigor, combinando suposições teóricas com alguma forma de verificação empírica. E ficou-me também presente no espírito a noção de que sem que se entendam as bases da interação social — incluindo os seus aspectos *morais* ou valorativos — os grandes edifícios teóricos, os *Sistemas* ou o determinismo das *Estruturas Sociais e Econômicas*, mais escondem do que explicam.

É que o miolo de toda a teoria sociológica pura gira em torno de conceitos aparentemente simples: como passar do individual ao social? Quais são os liames e mecanismos que obrigam ao relacionamento? Que formas de coesão social são geradas? Como justificar — como legitimar — a coerção para que se aceite a imposição que é exterior ao indivíduo? Quando e como pode dar-se a ruptura dessas formas de coesão: transformação brusca — revolução — ou ajustes graduais?

De outro ângulo, Ferdinand Tönnies formulara algo semelhante em sua dicotomia comunidade e sociedade, em seu livro de 1887. Segundo ele, as vontades humanas se relacionam de maneiras múltiplas, “tudo que implica confiança, intimidade, de viver exclusivamente junto, pode ser compreendido como a vida em comunidade". Em contraposição, a *sociedade* é o que é público, existe no mundo. As relações comunitárias implicam a interação direta, face a face, baseiam-se em vontades que se desenvolvem em comum e criam uma base moral de confiança, dispensando a formalização dos contratos. A sociedade é subsequente à comunidade. Existe quando a complexidade das interações leva à formalização das relações, leva a um contrato que estabeleça os limites das vontades recíprocas.

Para Tönnies, a sociologia era a ciência da *convivência humana*. Dialogando com Max Weber, em *Princípios de sociologia*, Tönnies insiste que sem o *querer* não é possível ação alguma. E este querer, sendo humano, pode estar relacionado ao pensamento. Neste caso ele se refere essencialmente à relação entre meios e fins. Por isso ele tratou de distinguir a *vontade essencial* (que se relaciona ao viver comunitariamente) da *vontade de arbítrio*, que prevalece nas sociedades.

Com esta linguagem abstrata, os fundadores da sociologia estão mostrando que há uma relação intrínseca entre o querer e o obedecer a regras. A análise dessas últimas, destituída da inserção da vontade humana, seja como feito individual, seja como cristalização de ações passadas que as criaram, permite apenas uma compreensão externa dos fatos sociais. Estes, além de serem explicados, abrem-se à interpretação de seu sentido.

•

Foi com as leituras de Marx e dos outros grandes analistas das transformações estruturais, como Tocqueville, que consolidei minha visão de sociólogo. Nunca deixei de pontear as análises dos processos econômicos e sociais com as observações de Max Weber e de tantos outros autores que sublinham o que é especificamente novo. A *Ética protestante e o espírito do capitalismo* mostra por que uns acumulam e prosperam, e outros não. Há condições materiais para explicar o sucesso, mas há também crenças, ideologias que motivam as pessoas. À simplicidade metodológica das análises dos autores dedicados à teoria sociológica pura, os autores que explicam as grandes transformações históricas acrescentam a complexidade das relações e conflitos entre grupos, classes sociais, Estados nacionais. Amplia-se o foco. A noção de processo, o reconhecimento da mutabilidade da história e do papel da vontade, da emoção, devolve às ciências sociais, na plenitude, sua condição de ciências humanas, ou, se quiserem, como se dizia à antiga, de ciências morais.

Estava refeito o laço entre minha formação e meus desejos de ação. Poderia conciliar a dupla vocação de político e de cientista social, guardando a objetividade, a razão, mas não destituindo a ação de uma vontade, de uma emoção.

Fui aos poucos decantando uma perspectiva de análise que chamei de *histórico-estrutural*. O foco pode ser estrutural, mas deve-se sublinhar a mutabilidade da história humana. As estruturas — os fatos externos, que coagem — contam para conduzir a ação. Mas esta pode ser orientada por valores de renovação. A ação humana pode abrir frestas para a mudança, criando tensões entre grupos ou classes. Mesmo que não se aceite, como eu, o finalismo histórico ou qualquer outra forma de determinismo que leve necessariamente à superação do *statu quo*, a análise do jogo dialético entre os agentes sociais ilumina o processo histórico. Foi com este *framework* que escrevi meus três livros sociológicos que provavelmente tenham maior significado.

Nos três, abordando temas diferentes, mantive o encaminhamento metódico escolhido. Minha preocupação foi mostrar que os países do Novo Mundo, apesar das inegáveis similitudes entre suas estruturas sociais e econômicas com as dos países mais desenvolvidos, têm diferenças. Por certo, colônias ou metrópoles, subdesenvolvidas ou não, coexistem no universo comum do capitalismo, porém, há singularidades. As trajetórias históricas específicas que produzem singularidades não se explicam, contudo, sem uma referência ao que é geral, comum às duas situações. Por isso, tampouco é possível transladar conceitos, etapas de evolução ou o que seja, que caracteriza os países mais desenvolvidos para os menos desenvolvidos e dependentes. Torna-se necessária uma reelaborarão conceitual para captar as especificidades. A explicação sociológica requer um constante vaivém entre as similaridades e as singularidades, não se devendo pensar umas sem as outras.

Comecei minhas pesquisas com a análise das relações raciais. Mostrei, junto com outros sociólogos brasileiros, que, embora não houvesse segregação entre raças no

Brasil, como nos Estados Unidos, havia, sim, discriminação e preconceito contra os negros. Portanto, a propalada democracia racial de que nos orgulhávamos era ao mesmo tempo um embuste e um mito, e neste sentido indicava que preferiríamos que houvesse uma democracia racial.

Mais tarde derivei meus estudos para a compreensão estrutural das funções e especificidades da escravidão em uma zona do país com poucos escravos. Publiquei *Capitalismo e escravidão no Brasil meridional*, resultado de pesquisas feitas na segunda metade dos anos 1950. Os escravos trabalhavam em manufaturas de charque. Comparei a situação prevalecente no Rio Grande do Sul, província fronteiriça com o Uruguai e a Argentina, onde os *saladeros* funcionavam à base do trabalho livre. Mostrei que era difícil concorrer com o trabalho assalariado usando escravos. Estes eram comprados como se fossem utensílios de trabalho. Como a produção do charque era sazonal, o *patrão*, isto é, o *senhor* tinha que manter seus escravos, trabalhassem ou não. Por outra parte, os conceitos, por exemplo, criados por Marx para explicar a dinâmica do capitalismo, fazendo a distinção entre capital variável, aquele que paga a mão de obra, e capital constante, que compra os equipamentos, aparecia invertido na economia escravista. E assim por diante.

Desta pesquisa, passei, no começo dos anos 1960, a temas mais próximos à minha motivação inicial para estudar ciências sociais: queria compreender o que estava ocorrendo no Brasil contemporâneo. Era época plena da

Guerra Fria. Predominavam na América Latina sentimentos de que nossa maior tragédia era o subdesenvolvimento e de que este se ligava diretamente à exploração internacional. Uns países exportavam matérias-primas e importavam produtos industrializados. Os exportadores de manufaturas se beneficiavam do diferencial de produtividade entre os dois tipos de economia. O progresso econômico se chocava com os *obstáculos estruturais* nos países subdesenvolvidos: a pobreza consolidada, a concentração da propriedade, a troca desigual no mercado internacional, a baixa poupança local e consequente incapacidade de aumentar o investimento, as deficiências educacionais e tecnológicas etc.

Foi neste contexto teórico-ideológico que fiz, em 1962/1963, um trabalho intitulado *Empresário industrial e desenvolvimento econômico*. A bandeira de luta progressista da época centrava-se no anti-imperialismo e na proposta de uma aliança entre empresários e trabalhadores, para se opor ao bloco constituído pelos interesses agrário-exportadores que se ligavam aos interesses externos. A reforma agrária e a industrialização orientada para o mercado interno e sob controle nacional-estatal formariam o esteio da nova política.

Minha pesquisa mostrou que esta interpretação tinha pés de barro: o empresariado industrial tinha grandes vínculos com o setor agrário-exportador. Reforma agrária para a maioria dos empresários era manobra política de *subversivos*, e os vínculos de associação entre os produtores nacionais e as empresas estrangeiras eram grandes.

Os que não viam isso atribuíam à *burguesia nacional* papel equivalente ao que esta classe social teria desempenhado no desenvolvimento histórico da Europa. Daí que se falasse de uma *etapa* democrático-burguesa que anteciparia o socialismo, como se imaginava que tivesse ocorrido na Europa. Outra ilusão substituíra a análise do processo corrente. Impunha-se a reconstrução empírica dos processos sociais e a reelaboração de conceitos para adequá-los à situação brasileira.

A realidade se impôs: estávamos nas antevésperas da derrubada do governo de João Goulart e do início do período militar, em abril de 1964. Como consequência da situação política autoritária, fui obrigado a me exilar no Chile, e lá, com vários colaboradores, dentre os quais Enzo Faletto, e sob o incentivo do sociólogo espanhol José Medina Echavarría, pus-me a dialogar com o que se chamava a *teoria da Cepal*, baseada na oposição Centro-Periferia. Tratava-se das interpretações feitas sob a inspiração de Raúl Prebisch no âmbito da Comissão Econômica para a América Latina, a Cepal, organização em que eu fora trabalhar.

A abordagem do livro que escrevi com Enzo Faletto, *Dependência e desenvolvimento na América Latina*, foi a mesma dos livros anteriores. Objetávamos a visão prevalecente na Cepal que considerava a Periferia como algo homogêneo. Utilizando o método histórico-estrutural, mostramos que as diferenças na formação das classes sociais, do Estado e mesmo no tipo de vinculação econômica com o mercado mundial implicavam possibilidades distintas para o desenvolvimento econômico dos países da América Latina, mas que havia percursos possíveis para superar o atraso.

Sem ter muita consciência, estávamos tentando entender o que a partir da década de 1970 se tornou mais visível: a globalização do sistema econômico. Sem conceitos para expressar o que emergia (na época — 1967/1968 — em que escrevemos o livro que sumariza esses temas nem sequer a noção de *empresa multinacional* havia sido cunhada) dizíamos que estávamos diante da *internacionalização dos mercados internos*. Não era apenas isso; era a internalização da produção e, mais tarde, do mercado financeiro; era o começo o do que hoje chamamos de globalização.

•

Na volta ao Brasil, em pleno regime autoritário, depois de um breve intervalo em que ensinei na Universidade de Paris, ao lado de outro sociólogo que foi fundamental em minha formação, Alain Touraine, mudei novamente o foco de minhas preocupações. A vida política, por assim dizer, me engolfou. Havendo sido afastado por imposição autoritária da cátedra de Ciência Política que ganhara por concurso ao regressar ao Brasil, continuei ativo intelectualmente.

Na década de 1970 me concentrei nos temas que então se impunham: a democracia, a pobreza, as instituições, o renascimento da sociedade civil. A tal ponto alguns destes estudos repercutiram e, sobretudo, a postura de resistência ao regime autoritário, que aceitei concorrer ao Senado pelo estado de São Paulo. Era apenas um gesto de protesto na luta pela redemocratização, não uma opção de vida. Não ganhei as eleições, mas, obtendo a segunda votação de meu partido, o oposicionista, fiquei como senador suplente.

Em 1982, depois de haver publicado vários ensaios e livros (*São Paulo 1975 — crescimento e pobreza*, *Autoritarismo e democratização*, *As ideias e seu lugar*, entre outros), de ter colaborado nos debates sobre a relação entre democracia e crescimento econômico, sobre a importância das organizações não governamentais etc. e de ter me empenhado contra a tortura de presos políticos e pela anistia aos perseguidos, estava dando aulas em Berkeley quando fui chamado a São Paulo, pois o senador de quem eu era suplente, Franco Montoro, iria se candidatar ao governo do estado e, dessa forma, eu assumiria a cadeira no Senado.

Daí por diante, embora me mantivesse ativo publicando bastante, tendo sido presidente da Associação Internacional de Sociologia, AIS, enquanto era senador, mergulhei mais diretamente no universo da política.

Que dizer deste e de minha ressocialização?

Partira para a vida adulta, como boa parte de minha geração, motivado para mudar as condições de vida no Brasil. O ideal de Justiça, tanto no plano das relações políticas, buscando fortalecer instituições e desfazer a tradição clientelística e patrimonialista, como no plano social, que gritava por maior igualdade, não via melhor caminho para se concretizar que não fosse por meio de grandes mudanças estruturais. No plano acadêmico, a representação adequada às mudanças pretendidas requeria mais teorias de ruptura do que de acomodação, mais visões que levassem à rapidez nas transformações sociais do que um irritante gradualismo que pudesse obter resultado pela acumulação de pequenas mudanças ou de disfunções.

Depois do exílio, em 1968, havendo percebido o início das transformações que levariam a maior interdependência entre os mercados e entre os países, embora houvesse desigualdade quanto à autonomia das partes, presenciei uma *revolução* que abriu meus olhos: maio de 1968. O movimento estudantil acolheu-me quando ensinava teoria sociológica a alguns de seus líderes na Universidade de Paris, em Nanterre. Suas repercussões políticas foram grandes.

Com esta experiência em mente, escrevi um texto para a transmissão da presidência da Associação Internacional de Sociologia, no qual chamava a atenção para formas de mudança social *não rupturistas* — isto é, sem que fossem por meio de lutas de classe que levassem os dominados ao poder, como predominava nas análises sociológicas clássicas. Não poderia adivinhar o que se tornaria mais claro à medida que as novas condições tecnológicas de produção e de comunicação entre as pessoas e grupos se espalhassem.

Se nos anos 1970 já havia inícios da robotização e da dispersão do sistema produtivo à escala global, só posteriormente as consequências dessas mudanças tecnológicas e da nova forma de produzir se fizeram sentir em toda plenitude. Foi com a leitura das obras fundamentais de Manuel Castells que me dei conta da profundidade dessa nova *revolução*, que terminou por valorizar a *economia do conhecimento*.

No ensaio de transmissão do cargo na AIS falei de mudanças *por curto-circuito*: um fio desencapado na sociedade, não necessariamente em sua base (operários, setores econômicos fundamentais ou quem representasse para a visão de cada um a força de negação dialética) mas em qualquer setor dela (cultural, estudantil, movimentos espontâneos da sociedade civil), poderia colocar em xeque seus fundamentos. A ideia dos *sujeitos históricos privilegiados*, as classes sociais, não desapareceria. Mas a mudança social poderia dar-se por contágio, e mesmo sem alterações estruturais profundas. O *rumo das coisas*, as políticas poderiam mudar e beneficiar em maior ou menor grau os *despossuídos*. Ampliava-se o campo para a consecução da Justiça, inclusive a social.

A década de 1980 foi cruel para o Brasil e para a maioria da América Latina. As crises do petróleo haviam exposto fragilidades de nossas finanças. O endividamento externo galopava, a inflação descontrolada assolava, principalmente os mais pobres. Tal situação abriu campo para maior reivindicação social e política. Ao redor de uma campanha pela recuperação do direito de voto para a escolha dos presidentes a sociedade se mobilizou e aprendeu a reivindicar. Progressivamente chegou-se à *abertura democrática* e, finalmente, uma nova Constituição foi promulgada em 1988.

Participei da elaboração da nova Constituição como relator adjunto. Seu texto é amplamente democrático, desenha um futuro se não de maior igualdade social, de maior atendimento às necessidades da maioria da população em educação, saúde, reforma agrária, aposentadorias etc. Na parte econômica, contudo, a Constituição manteve muitos monopólios de Estado em setores básicos da economia e não se ajustava às mudanças internacionais no sistema produtivo e nos mercados.

A Constituição fora redigida na atmosfera da luta contra o autoritarismo, quando as consequências das transformações tecnológicas e da reorganização produtiva ainda não se faziam sentir no país. O muro de Berlim caiu em 1989, um ano depois de terminada a redação do texto constitucional, e a compreensão de como os novos tempos influíram nesta queda e, posteriormente, na queda do próprio regime soviético, não era conhecida. Foram novamente trabalhos de Manuel Castells e de Albert Hirschman (este em suas quase memórias) que iluminaram minha compreensão sobre as relações entre os processos políticos referidos e as mudanças ocorridas em um mundo que se tornava cada vez mais *global*.

Nas reviravoltas do jogo político, acabei por ser nomeado ministro do Exterior e, logo depois, da Fazenda. Já passara por dez anos de treinamento, havendo sido líder do principal partido oposicionista no Senado e, posteriormente, de um novo partido que ajudei a fundar, o Partido da Social Democracia Brasileira (PSDB). Mesmo assim as tarefas ministeriais, principalmente na Fazenda, eram novas para mim, e a maneira como fui nomeado, para tentar evitar crise maior de um governo de transição, depois do impeachment do primeiro presidente eleito pelo voto direto, não favorecia terminar com a desordem inflacionária. Não havia, entretanto, alternativas. A inflação já se tornara hiper: em média 20% ao mês quando fui ministro da Fazenda. Ou liderava um movimento de contenção inflacionária, ou cairia, e o país continuaria mergulhado na incerteza, em um mundo que se reordenava rapidamente.

Não tive dúvidas: proclamei que iria acabar com a inflação e me dediquei a explicar pedagogicamente ao país no que ela consistia e que passos daríamos para controlá-la. Organizei uma equipe de brilhantes economistas jovens, recebi a delegação plena do então presidente da República e pus-me a batalhar em três frentes: na interna, para dar ânimo à equipe, no governo e no Congresso, para restringir gastos, e na opinião pública, para convencê-la dos passos que adotava.

Se houve criatividade neste processo, além da que derivou da competência técnica dos colaboradores que engendraram o Plano Real, foi na decisão de não seguir o caminho tecnocrático até então percorrido pelos seis planos de estabilização que o antecederam. Expliquei e anunciei de antemão as medidas que seriam tomadas. Como sociólogo sabia que, nas sociedades abertas, a confiança é tão importante quanto a competência e a comunicação entre os líderes e a sociedade é fundamental. De novo, razão e emoção. Vencemos.

A vitória, entretanto, foi custosa. Foi preciso renegociar os termos da dívida externa e sair de uma moratória decretada anos antes. Foi preciso manter um equilíbrio fiscal penoso, impondo disciplina às finanças dos estados e municípios. Tudo isso com respeito ao Congresso e às regras de jogo da democracia e sem o aval do Fundo Monetário Internacional, que considerava a situação política demasiadamente precária para permitir a estabilização econômica.

Já na Presidência tive que enfrentar as consequências da crise do México, junto com uma crise financeira que levou vários bancos à falência. Criamos programas de saneamento do sistema bancário, com penalização dos responsáveis por fraudes. Posso dizer que criei uma nova moeda, o real, que continua forte, expressando o equilíbrio fiscal por trás dela e a força de uma economia renovada.

Na verdade não só a economia se renovou, mas a sociedade também. Era preciso, ao mesmo tempo que se estabilizava a economia, dar ênfase à saúde, à educação, ao acesso à terra. Convicto de que é possível obter melhor justiça social, mesmo sem mudanças estruturais revolucionárias e de que as políticas contam para a mudança social, demos novo rumo ao país. Depois de quatro anos de um primeiro mandato, fui reeleito para o segundo praticamente com a mesma proporção de votos que tive na primeira vez, com maioria absoluta de votos nas duas vezes.

Por fim, para ir terminando esta longa exposição, dei início à reorganização patrimonial do Estado brasileiro. Procurei manter certo equilíbrio entre a ação direta do Estado na economia e a necessária liberdade do setor privado, assim como entre o segmento nacional e o estrangeiro, visando sempre ao bem do povo e ao interesse nacional. Quebramos monopólios e privatizamos algumas empresas estatais, mantendo-as reguladas por agências independentes. E sempre tive a preocupação de manter nas mãos do governo instrumentos financeiros, como alguns bancos, e de desenvolvimento econômico, como a Petrobras, para dar impulso à economia.

Através do Programa Comunidade Solidária, concebido e dirigido por minha mulher, Ruth, rompemos com o padrão assistencialista das políticas sociais. O foco passou da satisfação de necessidades para o fortalecimento das capacidades de pessoas e comunidades. Promovemos também a doação e o voluntariado como estratégia de mobilização de recursos privados para fins públicos. O combate à pobreza passou a ser tarefa e responsabilidade de todos, governo, sociedade civil e mundo empresarial.

No plano internacional fiz uma aposta pela integração do país ao sistema produtivo global. Os que ouviram o que disse antes verificarão que por trás desta aposta estava a convicção do sociólogo de que o mundo mudara e de que o Brasil tem chances de progredir dentro das condições dessa nova etapa do desenvolvimento capitalista. E também de que as mudanças introduzidas nas políticas sociais podem conduzir a uma situação de maior justiça social. Não faltou coerência entre o sociólogo e o político.

•

O Brasil colhe hoje os frutos do que conseguiu plantar desde a nova Constituição, passando pela abertura da economia, pela estabilização da moeda, pela quebra de monopólios estatais que se tornaram anacrônicos, pela retomada do crescimento econômico em bases mais sólidas e pelas consequentes transformações sociais. A velocidade da mobilidade social, a transformação da situação de pessoas e famílias que auferiam baixas rendas e hoje se encaminham para níveis mais aceitáveis de rendimento, que na linguagem otimista prevalecente são chamados de *classes médias emergentes*, é impressionante.

O país mudou de patamar não só pela ação de governos anteriores, mas também do meu e dos que o sucederam e, principalmente, da dinâmica de uma sociedade aberta.

Vivemos um mundo novo, e é neste que as cartas de afirmação nacional se jogarão. Terminado meu segundo mandato, sem deixar de opinar sobre as questões nacionais, desliguei-me do cotidiano da política; passei a atuar mais ativamente na cena internacional.

As grandes mudanças globais requerem crescentemente pensamento novo, e os lados negativos da política internacional e da pobreza precisam de quem lhes preste atenção. Pertenço a um grupo chamado The Elders, criado por Nelson Mandela, composto por onze pessoas por ele selecionadas para atuar em áreas de conflito (Israel/ Palestina, Sudão ou Coreia do Norte, por exemplo) e dar visibilidade a situações de injustiça aguda, como as mutilações sexuais das mulheres, a desigualdade de gênero etc. Preparei, entre outros, um relatório para a ONU sobre a maneira de engajar os fóruns da *sociedade civil* nas decisões globais e assim por diante, lidando com questões de gênero, direitos reprodutivos, adição a drogas, entre outras.

O equilíbrio das forças internacionais, após a Segunda Grande Guerra, se foi suficiente para assegurar que as grandes potências não entrassem em conflito aberto, não dá conta mais da realidade atual. Desfeita a União Soviética, quando muitos pensavam que os Estados Unidos imperariam solitários na ordem mundial, eis que a China, principalmente, a União Europeia e agora os países de economia dita emergente procuram ter vez e voz nas relações internacionais. Estas mudaram não só no aspecto do poderio militar e econômico dos principais países, como pelo início da formação de uma *opinião pública internacional* e da pressão, ainda tímida, é verdade, da sociedade civil planetária. Esta se compõe das grandes unidades econômicas internacionais, as multinacionais, dos movimentos ecológicos e feministas, enfim, da defesa de *causas*, que, por seu valor intrínseco, mais do que por sua legitimidade numérica ou estatal, pressionam os *decision makers*, na ONU e nos países que abrigam sociedades abertas.

Quando olho o mundo de hoje e comparo com aquele em que eu vivia quando escrevi sobre subdesenvolvimento e dependência, é forçoso reconhecer que estamos em outro momento da história. Comecei esta fala mencionando conceitos básicos de sociologia, como comunidade e sociedade; depois passamos para os grandes sujeitos da história, as classes, os Estados, as nações.

Agora a visão é outra, como exemplifica singularmente a mudança de atitude de Gorbachev, o qual, chefiando um Estado socialista e à frente do maior partido comunista então existente, proclamou que diante das consequências do terror atômico ou dos desastres do meio ambiente não bastava falar em classe social ou em Estados nacionais. De alguma maneira houve um reencontro com a noção de humanidade, que, Marx dizia, só poderia se concretizar se e quando houvesse a eliminação do domínio de umas classes sobre outras, de uns países sobre outros.

Voltando a Tönnies, é como se todos os homens e mulheres passassem a conviver e não só a coexistir. Até mesmo nas expressões usuais na política internacional há uma volta à ideia de *comunidade*, embora diferente daquela básica, que implicava a relação direta entre as pessoas e o viver em comum. Trata-se na atualidade de uma comunidade mais abstrata, mantida solidariamente pelos mesmos desafios e temores, da pobreza, da disseminação de moléstias, do terror atômico, dos desastres ecológicos, como o aquecimento global. Comunidade que se torna possível graças à interação entre seres humanos por intermédio dos novos modos de comunicação instantânea, da internet, do Facebook, do Twitter. Novos movimentos capazes de provocar mudanças se somam às formas tradicionais.

Uma fotografia dramática, como a do jovem se opondo aos tanques na praça de Tiananmen, ou a do tunisiano que se queimou para protestar contra a corrupção, comovem instantaneamente a opinião pública e podem provocar reações. Multiplicam os *fios desencapados* da ordem mundial ou dos mecanismos estatais de poder. Não podem, é certo, criar novas situações de mando. É como se fosse necessário renascer uma oposição dialética entre o pensamento de Rousseau e o de Montesquieu para possibilitar uma síntese futura, ou pelo menos uma acomodação entre o que é pressão e movimento espontâneo e o que é ordem institucionalizada.

Não sei que rumo tomará tudo isso no futuro, mas os conceitos antigos são insuficientes para explicar o movimento do presente. Abrem-se novas possibilidades para a convivência internacional, e nela o papel de um país como o Brasil pode avultar, não pela força bélica, mas por um misto de consistência no desenvolvimento econômico-social com efeitos de exemplaridade no que se poderia chamar de *soft politics*, que inclui a convivência inter-racial, quem sabe um protagonismo no terreno ambiental e outros fatores deste tipo.

Como sociólogo e como líder político, sou suficientemente realista para saber que sempre haverá fatores de força e de equilíbrio de poder a jogar na cena mundial. Assim como sei que a interdependência produzida pela globalização não exclui desigualdades entre as nações. Apenas essa *força* será crescentemente temperada pela *soft politics*, e o *natural egoísmo dos Estados* terá que tomar em consideração que as fronteiras não resistem ao fluxo financeiro e tampouco ao fluxo de informações. Este pode criar formas de solidariedade que se não são mecânicas, no sentido durkheimiano, nem propriamente orgânicas, nem por isso deixam de existir e de ser efetivas. Há alvíssaras. Os blocos de países se formam e se desfazem mais segundo os temas, numa espécie de geometria variável, do que se consolidam pela força de uma grande hegemonia.

Basta de especular sobre o que poderá suceder. Para ser consequente com a atitude que prefiro tomar, de ver esperança e não obstáculos intransponíveis, concluo dizendo que, para criar uma ordem mundial mais legítima e para que o Ocidente, ao qual bem ou mal o Brasil pertence, possa ter uma influência construtiva e perdurável, é preciso que se desenvolva uma cultura de aceitação do outro, com suas diferenças e idiossincrasias. A globalização da economia, a aceitação do mercado como força reguladora de muitos aspectos da vida, não pode se transformar em uma camisa de força. Haverá sempre alternativas culturais, formas nacionais de comportamento e defesa de legítimos interesses que evitarão que tudo seja chato e plano no mundo.

Oxalá o Brasil possa, com imaginação criativa, ser um agente ativo na construção da ordem política e econômica global que permita aumentar não só o PIB dos países, mas a felicidade dos povos. Quem sabe eu tenha contribuído um pouco nesta direção, nos limites restritos do que pode fazer um intelectual e um líder político.

O prêmio que ora recebo me anima a acreditar que algo fiz nesse sentido. Realista, como sou, não posso deixar de registrar, contudo, uma pitada de prudência: só a História julga os homens. O julgamento que vale é o *post-mortem*.

Mais ainda: ele também varia, de tempos em tempos, conforme a aragem de cada momento da história. Mesmo assim, para cada um de nós, o que vale é o julgamento dos contemporâneos. Muito obrigado pelo voto de confiança que me dão ao outorgar-me o Prêmio Kluge.

## Discurso de posse na Academia Brasileira de Letras*

Dentro de poucos momentos colocarei meu nome no tomo que guarda o dos fundadores desta casa, Machado e Nabuco, e de todos que foram chamados, não à imortalidade — já que a glória, como disse Vinicius sobre o amor não pode ser imortal, posto que seja chama, mas pode ser infinita enquanto durar — mas à responsabilidade de simbolizar em nosso país alguns valores fundamentais. A Academia Brasileira de Letras existe e funciona como a tocha olímpica. Ao passar os diplomas de uns a outros, seus membros mostram a continuidade do respeito à Cultura e às realizações que constroem a história do país. Como não sentir a emoção que este ato provoca?

Sei que nesta solenidade cumprimos um ritual. Até na maneira pela qual nos dirigimos uns aos outros: chamamo-nos, um tanto fora do tempo, de acadêmicos. Mas é de rituais que se compõem as pegadas da história. Ao agradecer minha escolha aos confrades acadêmicos (não são essas as palavras rituais?) aceito-a com a consciência de que cumpro um papel e que, fora outro o eleito, do

---

* Discurso proferido na sede da Academia Brasileira de Letras. Rio de Janeiro, 11 de setembro de 2013.

mesmo modo, esta Academia continuaria marcada pelo afã de mostrar a nós mesmos e a todos que o que importa é o culto permanente à cultura, à língua que a expressa, à paz, à liberdade e à dignidade humana, valores que se servem de nós, mortais, para permanecerem imortais.

Agradeço, pois, comovido, a honra de me sentar em tão ilustre companhia.

Pode-se imaginar que alguém que chegou aos 82 anos e ocupou as posições que ocupei viva os rituais de passagem como rotina. Não fora eu algo treinado em antropologia e não houvesse sido casado por tantas décadas com destacada antropóloga, poderia, talvez, desconsiderar a importância dos ritos que conformam a existência humana, elementos insubstituíveis na tessitura da memória a que nos agarramos à medida que o tempo nos consome.

Não foram poucas as vezes em que participei de momentos cheios de significados, juntando o passado ao presente. Recordo-me da manhã fria em que, na Universidade de Cambridge, fui chamado a assinar um livro de compromisso para receber a condição de titular da Simón Bolívar Chair e de *fellow* do Clare College. Com o gesto, comprometi-me a respeitar os estatutos da venerável instituição, que obrigam a não morar a mais de vinte milhas de distância da igreja de St. Mary e a dormir pelo menos cinco noites por semana naquelas paragens. Ao imaginar que um professor do longínquo Brasil juntaria seu nome ao de ilustres outros que durante tantos séculos se apuseram no alfarrábio, assinei o velho livro quase trêmulo.

Anos mais tarde, graças a Michel Foucault, que me convidou para proferir uma série de aulas em sua cátedra no Collège de France, voltei a assinar um grosso livro, iniciado em 1530. Quantas insignes figuras do pensamento universal teriam aposto aí seus nomes? Por que eu (na época ex-exilado e professor aposentado compulsoriamente da Universidade de São Paulo), me perguntei no íntimo, teria tido a honra de compartilhar tão elevada cátedra senão pelos ventos bondosos da sorte? O mesmo calafrio que senti em Cambridge voltou a tomar conta de mim.

Quando alguém jura, perante os representantes de sua nação, que cumprirá a Constituição, uma Constituição democrática para a qual colaborou, e que como presidente será fiel a ela e aos compromissos que assumiu com o povo, é inegável que qualquer outra emoção dificilmente se lhe compara. Assinei o livro de posse usando uma caneta que havia sido dada pelo presidente Getúlio Vargas a um primo de meu pai, que fora seu ministro no período democrático, exatamente porque havia invocado a necessidade de ultrapassar sua época, e não queria ser injusto nem leviano para imaginar que, se o fizéssemos, seria com desdém do passado ou negando-o como se uma pedra não devesse se juntar a outra para a construção da grandeza do país. As duas vezes em que a magnanimidade do povo brasileiro me deu a oportunidade de assinar o livro de posse dos que tiveram a responsabilidade de governar este país, o fiz com emoção e sentindo o peso da História. Oxalá não a tenha deslustrado.

É com emoção do mesmo gênero que assumo a cadeira para qual a generosidade das senhoras e dos senhores me elegeu. Reitero os agradecimentos.

[...]

Prezados confrades, senhoras e senhores,

Em discurso intitulado "Razão e emoção", de agradecimento ao Prêmio Kluge que me foi concedido em 2012 pela Biblioteca do Congresso dos Estados Unidos, tentei mostrar como a compulsão por fazer — o *ethos* do político — e a paixão por entender — a chama que move os intelectuais — se entrelaçaram durante toda minha vida.

O grande desafio dos caminhos da política é evitar a tentação do doutor Fausto e não vender a alma ao demônio. A acrobacia weberiana que distingue a ética dos fins últimos, a dos valores, da ética da responsabilidade, ajuda a sair da cilada. O nó da questão é não permitir que o que é contingente na ação prática destrua as crenças e os valores, e que estes se mantenham também nas consequências dos atos praticados. É neste sentido que se pode falar apropriadamente de uma ética de responsabilidade. Ela é um avatar a mais a pesar sobre nossas convicções, e não um álibi para não tê-las. O homem de ação, além dos valores que embasam seus atos, torna-se responsável por suas consequências, ainda que estas não sejam produto de sua ação direta.

Em uma palavra, é preciso escapar a todo custo do mantra de Maquiavel, pois os fins não justificam os meios. Mesmo para Maquiavel, só em condições específicas, quando a salvação da República exigisse grandes feitos, o Príncipe poderia passar por cima de quaisquer outros compromissos. Neste caso, ele escaparia do julgamento a que está submetido o homem comum, e utilizaria meios menos morais.

Minha geração nasceu sob a ameaça das dificuldades que o Brasil teria de transpor para alcançar formas e graus de desenvolvimento econômico, social e cultural que superassem a pobreza e a miséria e nos dessem um destino de grandeza. De certa maneira sentíamo-nos no polo oposto ao dos norte-americanos, sempre confiantes em seu *destino manifesto*, enquanto nós, sempre atormentados por nosso destino incerto. Desenvolvimento, democracia, liberdade e igualdade eram e continuam a ser nossa obsessão. A esses objetivos dediquei meus esforços como intelectual e tentei alcançá-los em minha prática política.

Meus primeiros trabalhos sociológicos foram sobre a condição de vida dos negros e sobre o preconceito racial. Mais tarde esbocei uma explicação do funcionamento de uma economia escravocrata, voltada para o comércio capitalista internacional. Que tipo de escravismo seria este, composto por empreendedores que eram ao mesmo tempo senhores de escravos? Daí que para mim o jogo dialético nunca foi, como o daqueles teóricos que José Guilherme Merquior criticou, uma oposição entre conceitos abstratos. Derivou da história de uma sociedade que, se obedecia à dinâmica ditada pelo capitalismo mercantil, vinda *de fora*, concretizava-se em relações sociais que se formavam em nossa sociedade.

Com o mesmo propósito, quando tentei entender a economia contemporânea e as características de nosso empresariado, afastei os esquematismos que tudo explicavam pela oposição entre o capitalismo internacional e os interesses nacionais, e endeusavam o papel da *burguesia nacional*, atribuindo-lhe *missões históricas* semelhantes às que a burguesia europeia teria cumprido, assegurando, dessa forma, autonomia ao nosso desenvolvimento. Sem desconhecer o que em nossa história deriva do universal, para realmente explicá-la é preciso acrescentar o que é próprio de nossas circunstâncias, de nossa cultura e de nossas adaptações criativas ao processo produtivo.

Daí foi fácil dar um passo e ressaltar nos estudos que fiz sobre a América Latina a necessidade de não simplificar, de não atribuir nossos males ou façanhas apenas ao exterior — ao *imperialismo*. Sem desconhecer quanto o externo nos condiciona, é preciso buscar sendas próprias para explicar os êxitos e fracassos dos países da região.

A oposição entre centro e periferia, mantra da teoria estruturalista do desenvolvimento criada pela Cepal, para ser válida, precisa ser submetida à análise histórico-estrutural. Há laços variáveis de dependência entre o centro desenvolvido e as periferias. A multiplicidade das experiências históricas, a diversidade de potencial econômico dos países, o jogo político entre os segmentos sociais e as diferenças culturais, quando não são recuperadas na análise concreta, tornam vazias as oposições simplificadoras que podem acalantar em sua singeleza as mentes mais simples, mas podem ter também consequências sociais e políticas destrutivas.

No meio-tempo, enquanto eu e outros mais tentávamos compreender a situação em que vivíamos, ela se transformava pelos impulsos internos, mas também pelo que ocorria em muitos outros países. Fomos condicionados pela polarização da Guerra Fria, e, quando dela escapamos, a revolução científica e tecnológica nos meios de transporte e de comunicação já interligava as economias de todo o mundo. O incrível avanço do Bloco Socialista e sua paralisação, em grande parte pela incompatibilidade entre inovação e autoritarismo, marcaram o período que foi do fim da Segunda Grande Guerra até a queda do muro de Berlim em 1989. Quando a muitos parecia que daí por diante viveríamos em um mundo homogêneo e unipolar, a História mostrou uma vez mais que, em vez do inevitável, ocorre o inesperado.

A emergência da China, a unificação da Europa e o espaço que se abriu às *novas* nações, aos Brics, para usar o termo da moda, ampliaram as possibilidades nacionais. Custou-nos a entender em que sentido.

Faço uma pausa e recuo no tempo. No período da Guerra Fria, quando boa parte dos países da América Latina sofria o desespero de regimes autoritários, alguns muito repressores, era natural que os intelectuais se voltassem para as questões políticas, mormente eu, que sempre tive mais curiosidade em vislumbrar transformações e descortinar o novo, do que em determinar regularidades do passado. Concentrei meus esforços teóricos — e práticos — a partir dos anos 1970, a entender e combater o autoritarismo.

A muitos parecia um eufemismo falar de regimes autoritários e não de ditaduras militares. Alguns regimes podiam ser apropriadamente qualificados de totalitários, mas não todos. Custou trabalho martelar que há uma distinção teórica de efeitos práticos entre ditaduras totalitárias e autoritarismo. Pelo menos no Brasil, não houve fascismo e, se a forma de governo foi repressiva, não aboliu os partidos políticos nem criou um partido único. Condicionava a ação dos partidos consentidos, mas tinha pejo em se autodenominar antidemocrática, embora o fosse.

As brechas que esse tipo de regime deixava permitiram uma reação, que, ao final, apoiou-se tanto na luta tenaz dos que sempre estiveram contra ele como nas *dissensões* internas.

Dos anos setenta aos oitenta, até a convocação da Constituinte, em pleno período autoritário, assistimos à emergência da *sociedade civil*. Conceito complexo de raiz antiga na filosofia, mas de existência efetiva muito recente entre nós. Nossa formação corporativista, o resplendor de um Estado — que mesmo em épocas de incompetência ou de impossibilidade de ação por motivos fiscais ou outros, é visto por muitos, talvez pela maioria, como a verdadeira alavanca da Nação, senão seu único guardião diante do *perigo externo* —, não dá muito espaço para a sociedade atuar. E o próprio setor empresarial acaba por se aninhar no Estado.

Dediquei-me com tal denodo a entender e a criticar o regime autoritário, e a defender a autonomia da sociedade civil, que terminei colhido nas malhas da política que me fizeram senador. Falo sobre esses temas não para contar a história recente do Brasil, que todos os presentes sabem, mas para mostrar que procurei ser fiel a meus valores. Se entrelacei teoria e prática, numa e noutra mantive firme a crença na democracia e na liberdade.

Sobre desenvolvimento econômico, creio que disse o suficiente para esta ocasião. Quero ressaltar apenas mais um ponto. Retomo o fio que deixei perdido acima. Mal ultrapassado o autoritarismo, era preciso sacudir a poeira ideológica de que só o Estado constrói a nação e só nos isolando das correntes do mundo poderíamos gerar um sentimento nacional autêntico, capaz de sanar nossos males. Ainda que assim quiséssemos, era tarde. Parte do que havia de verdade no nacional-desenvolvimentismo derretera-se com o novo momento da economia internacional, a que se deu de chamar globalização.

Por outro lado, os desafios que hoje pesam sobre a humanidade são planetários. São assim o terror atômico, as grandes questões ambientais, o terrorismo, o crime organizado, as epidemias que grassam de ponta a ponta no planeta. Por isso, ao lado das áreas específicas de prevalência da soberania nacional vão se constituindo áreas nas quais o interesse da humanidade deve primar sobre o egoísmo natural dos Estados, como dizia Raymond Aron.

A dicotomia na qual minha geração foi formada entre o Norte, próspero e opressor, e o Sul, pobre e dominado, já não é uma metáfora adequada. No mínimo existem *redes* de prosperidade, e outras tantas de pobreza, que cortam os países em seu interior, embora, conforme o predomínio de cada uma delas, mantenham-se as diferenças entre países mais e menos prósperos.

Enfrentamos essas novas circunstâncias a partir da década de 1990. O desafio do crescimento econômico e da defesa do interesse nacional tinha que se repor noutro patamar. A antiga política de fechamento de mercados com barreiras alfandegárias elevadas visando à reprodução local das formas de desenvolvimento alcançadas pelos países industrializados, ainda que a preço de inflação, não cabiam mais num mundo interligado, em que os fluxos produtivos e tecnológicos saltam fronteiras.

Coube-me ajudar a debelar um surto de hiperinflação; repor as relações entre o setor produtivo estatal e o privado em outras condições, e a continuar a abertura da economia, cuidando de evitar, ao mesmo tempo, a desindustrialização. Enfim, ajudar a tornar o país contemporâneo à era da internet, da força da sociedade civil e de uma dinâmica na qual o Estado, continuando a ser central na regulamentação econômica e mesmo investindo em setores estratégicos, não era mais a alavanca isolada dos investimentos produtivos.

O que fora condição favorável ao país até a década de 1970 — o isolamento do mundo e o pan-estatismo — tornara-se obsoleto como ideologia e como prática. Contrariando a tradição estatista e corporativista de nossa cultura política, mantive-me fiel aos propósitos de garantir ao país bases de crescimento compatíveis com a forma atual da economia global. Sou, sim, defensor das liberdades públicas e privadas, da necessidade de respeitar as regulações do mercado, mas não desdenho a ação do Estado no desenvolvimento da economia e na distribuição de renda.

Uma vez mais me mantive fiel aos meus objetivos e valores: mudei o que era contingente para manter fidelidade ao objetivo de prosseguir o desenvolvimento do país.

O crescimento da economia — embora nem sempre satisfatório —, as pressões dos cidadãos ensejadas pela democracia e o aperfeiçoamento das políticas públicas vêm permitindo uma considerável redução da pobreza e a melhoria das condições de vida. Seria injusto imaginar que tal esforço começou há dez ou vinte anos. Ele vem de mais longe. Nem sempre, contudo, as condições econômicas e políticas gerais favoreceram-no. Tendo como base a estabilização da economia e como condição necessária algum grau de crescimento do produto, as políticas públicas recentes vêm contribuindo para o êxito desse processo. O aumento do emprego, a formalização das relações de trabalho e a continuidade do aumento real do salário mínimo são os fatores que mais contribuem para a melhoria das condições materiais de vida. As políticas de transferência de renda, as bolsas, reforçam a tendência. E, dentre os fatores associados a esta melhoria, o que mais conta é o aumento da escolaridade.

As condições favoráveis da economia mundial e o empenho dos governos que sucederam ao meu ampliaram a inclusão social, inclusive dos negros, a partir das bases que lancei em meu governo. Seria preciso dizer algo mais para justificar minha fidelidade ao propósito da erradicação da pobreza no país?

Reitero: estamos longe de ficar tranquilos com o já feito. Vou concentrar-me, para finalizar, em um só ponto: quanto avançamos na democracia?

A pergunta não se compagina com respostas simples. São inegáveis os avanços na arquitetura política institucional a partir da Constituição de 1988. Houve avanços se dermos o significado de democrático a um governo submetido às leis, cujos mandantes dependem do sufrágio popular majoritário e cujo vigor deriva do respeito às minorias e de um jogo de equilíbrios entre os poderes.

Tudo isso em um clima de liberdade de organização, de crenças, de opiniões e com todas as demais garantias que asseguram as *liberdades dos antigos*, as públicas. Mesmo a liberdade moderna, das pessoas, de igualdade de gênero e de respeito às inclinações sexuais, vem ganhando terreno.

Resumo o sentimento de incompletude que tenho com respeito à nossa democracia, dizendo que se a arquitetura institucional está quase acabada (ainda se veem andaimes), falta o essencial: a alma democrática. Nossa cultura de favores e privilégios, nosso amor à burocracia, à pompa dos poderosos e ricos, de retraimento da responsabilidade pessoal e atribuição de culpa aos outros, principalmente ao governo e às coletividades, desobriga o cidadão a fazer sua parte, a sentir-se comprometido.

O corporativismo que renasce e passa do plano político ao social levando de roldão sindicatos e até Igrejas, e se encastela nos partidos, mesmo nos que nasceram com o propósito de combatê-lo, é o cupim de nossa democracia. Se à tentação corporativista somarmos os impulsos populistas, que não lhe são incompatíveis, temos a descrição de um sistema político enfermo.

A cultura democrática se baseia no sentimento da igualdade, pelo menos perante a lei — posto que as desigualdades de nascimento sejam congênitas ao DNA e as de riqueza ao sistema econômico prevalecente. Como, então, falar de igualdade de oportunidades em sentido próprio?

No plano das instituições político-partidárias e do Congresso Nacional, para ater-me só a este aspecto, que tipo de representação política nos é assegurada e como se dá o equilíbrio entre os poderes? Para começar, temos uma democracia na qual os verdadeiros representados não são os cidadãos, mas as organizações intermediárias (uma prefeitura, uma empresa, uma igreja, um clube de futebol etc.), que financiam as campanhas e colhem em suas malhas o indivíduo eleitor. É àqueles, os *eleitores de fato*, que o representante serve, mantendo tênue a relação com a massa do eleitorado, salvo no caso dos poucos parlamentares eleitos por correntes de opinião.

Dos partidos, que dizer? Mesmo sendo injusto: se acomodaram às práticas, desdenham da relação direta com as comunidades, preferem não tomar partido diante de questões controversas na sociedade e abdicam crescentemente da função fiscalizadora do Executivo, que a Constituição lhes garante, e mesmo da iniciativa na legislação. Abrem, assim, espaço às ações de tipo "rolo compressor" do Executivo. Preferem barganhar com ele os benefícios para as entidades intermediárias que lhes garantem o voto. A agenda pública, nestas circunstâncias, encolhe-se. A discussão fenece nos parlamentos, e as ruas nem sequer são ouvidas.

A tal ponto chegou a distorção da ideia de representação entre nós que os interesses e os valores se veem mais *espelhados* no Congresso do que nele são representados. Os setores organizados da sociedade esperam os resultados das eleições para, *post facto*, identificar seus representantes. Os candidatos mais comumente calam durante a campanha eleitoral sobre suas convicções e interesses; repetem o que é agradável ao eleitor distante. Depois de eleitos buscam ou reatam conexões com aqueles cujos valores e interesses lhes são mais afins. Na ação legislativa, organizam-se em frentes suprapartidárias (da educação, dos donos de hospital, da saúde, dos bancos, dos ruralistas e por aí afora), para defender valores ou interesses. Não é de estranhar, portanto, a distância crescente entre Congresso e opinião pública, entre elite política e povo.

Até há pouco, essas fragilidades da República, das instituições, embora percebidas, não encontravam contestação mais ampla. Os setores politizados da sociedade criticavam-nas, mas, à medida que os governos ampliavam os mecanismos de integração social e que os interesses organizados conseguiam ser corporativamente atendidos, a crise institucional limitava-se aos círculos do poder. A própria dinâmica da sociedade, a urbanização abrangente, o aumento no fluxo de rendas e a mobilidade social por ele gerada e, principalmente, as novas tecnologias de comunicação, que conectam as pessoas dispensando organizações e lideranças formais, estão dando os primeiros sinais de que há algo mais grave do que as crises habituais entre Congresso, Executivo e sociedade. Essas até agora eram circunscritas ao que chamamos de *opinião pública*, que desde o Império funcionava separada da *opinião nacional*.

Estamos assistindo aos primórdios da fusão entre uma e outra opinião. A ampliação da democracia e da liberdade de informação choca-se com as insuficiências da República. À inadequação das instituições acrescenta-se sua desmoralização, agravada por episódios de corrupção. Produz-se assim uma conjuntura em que *demos* e *res publica* se desencontram. Não se veem lideranças que falem forte e sejam ouvidas para evitar recaídas nos tormentos da incerteza quanto a nosso destino nacional.

Dito noutras palavras, esboça-se entre nós, como em outros países, uma crise da democracia representativa. Não faltarão forças que desejem dela se aproveitar para proclamar a morte de Locke, de Montesquieu, dos Federalistas e de todos os que sonharam em buscar caminhos de maior igualdade sem matar as liberdades nem compactuar com formas plebiscitárias de mando, que, sob o pretexto de voltarem a Rousseau, esquecem-se das recomendações de Marx, que desejava o socialismo como herdeiro das conquistas liberais do Século das Luzes, e não como seu coveiro.

Não obstante, é insuficiente proclamar os valores morais da liberdade individual e coletiva. Ou bem reinventamos a democracia contemporânea, salvaguardando a ideia de representação legítima, mas tornando-a transparente e responsável e a ampliamos para incorporar novos segmentos e novas demandas da sociedade, ou a pressão *de baixo* poderá ser manipulada por formas disfarçadas de autocracia.

As pressões não procedem mais de uma massa informe e desinformada. Existe um novo tipo de participante nas mobilizações. Já não é só o oprimido que se manifesta. As organizações políticas e sociais que representaram até há pouco as camadas menos favorecidas — os sindicatos e movimentos organizados — quando aparecem, vêm na rabeira dos novos movimentos de protesto. Como essas organizações foram em parte cooptadas pelas forças políticas tradicionais, o desprestígio delas abala a confiança daqueles.

Este novo tipo de pressão existe no Brasil e no exterior. Quando as instituições sufocam a liberdade, e a economia não oferece oportunidades à maioria, os movimentos espontâneos, interconectando milhares e mesmo milhões de pessoas pela internet, são capazes de desencadear rebeliões que derrubam governos.

Ainda não vimos a força desses movimentos ser capaz de reconstruir as instituições do poder, alçando-as a outro patamar. Até agora às explosões eventualmente vitoriosas, como no mundo árabe, têm-se seguido novas formas repressivas. E, sem instituições que canalizem as forças de renovação, estas podem morrer no ato de se expressar.

No caso das sociedades abertas, como a nossa, por enquanto a cada surto popular, não se derrubam governos, mas recai-se no desencanto com a política e com as instituições. Até quando?

Ou nos conformamos com a ideia de que formas de autogoverno brotarão ocasionalmente e conviveremos com grupos anárquicos que predicam a violência, arriscando-nos à ruptura da convivência democrática, ou nos pomos humildemente a dialogar com os vastos setores da sociedade que só formalmente pertencem à pólis. Eles estão, na maioria das vezes, economicamente integrados, politicamente insatisfeitos e possuem identidades culturais diferentes do que até hoje parecia, equivocadamente, ser o *mainstream*. É só conhecer a realidade das *comunidades* que pontilham nossas cidades ou as periferias infindáveis de seus contornos para sentir a força dessas presenças. Tecnicamente é possível aumentar os mecanismos de escuta e de participação ampliada no processo deliberativo e nas instituições executivas. Politicamente o avanço tem sido muito lento.

Numa palavra: não há tempo a perder para reconstruir a democracia nos moldes das realidades atuais. Neste esforço, a educação e a cultura continuam fundamentais. O momento não é de simples *pregação democrática*, como se este credo construído a duras penas nos últimos séculos fosse o anelo da maioria. Não se trata só de *ensinar*, mas de *aprender*. Não estamos diante de uma elite que sabe e de um povo que desconhece.

O momento é de respeito à pluralidade das identidades culturais e de reconstrução das instituições para que elas captem e representem o sentimento e os novos interesses da população. Só assim poderemos manter acesa a chama da liberdade, do respeito à representação e da autoridade legítima e evitar que formas abertas ou disfarçadas de autoritarismo e violência ocupem a cena.

Como no passado dos oráculos, a história nos pregou uma peça: "Decifra-me ou te devoro!" é o enigma que as ruas, sem o proclamar, deixam entredito sobre a democracia atual. Cabe a todos nós, políticos, artistas, escritores, cientistas ou, simplesmente, cidadãos que prezam a liberdade, passarmos da escuta à ação, para tecer os fios institucionais pelos quais possam fluir os anseios de liberdade, participação e maior igualdade dos que clamam nas ruas.

Muito obrigado!

# Liberdade e história*

É com emoção que tomo a palavra em nome de todos os homenageados com o título de doutor *honoris* para agradecer a acolhida da Universidade de Tel Aviv.

Em seu discurso de aceitação do Prêmio Jerusalém em 1977, Octavio Paz definiu seu sentimento ao se acercar desta cidade tão nobre e tão antiga como o de alguém que volta às suas raízes. Nesta terra tão especial, a palavra humana e a palavra divina se entrelaçam em um diálogo que deu origem às duas ideias que sustentam nossa civilização: a ideia de liberdade e a ideia de história.

Liberdade, acrescentou ele, não é um conceito, mas sim uma experiência vivida. Única e em constante mutação, liberdade é história. Ou, melhor dizendo, história é o lugar em que a busca pela liberdade se manifesta.

A cerimônia de hoje é uma celebração de conhecimento, responsabilidade, criatividade e inovação.

Solicitado a definir um judeu, o eminente crítico literário George Steiner não hesitou: o judeu é alguém que lê um livro com o lápis na mão, pronto a anotar, comentar, corrigir, reescrever.

---

* Discurso proferido na cerimônia de recebimento do título de doutor *honoris causa*, na Universidade de Tel Aviv. Israel, 15 de maio de 2014.

De fato, de Marcel Proust a Boris Pasternak, de Franz Kafka a Elie Wiesel, os judeus se afirmaram como mestres do verso e da narrativa. Eles também se destacaram nas ciências naturais e sociais bem como em campos tão diversos como artes, finanças, tecnologia, cinema, psicanálise e revolução.

A conclusão é inescapável. Os judeus se sentem à vontade na busca do sentido, explorando os territórios impalpáveis do espírito, expandindo os campos do possível, decifrando os mistérios do universo. Eles florescem na e pela argumentação e controvérsia, movimento e mudança. Em uma palavra, prosperam com a liberdade.

Este respeito profundo pela criatividade humana em toda sua diversidade é provavelmente o que explica que a Universidade de Tel Aviv tenha escolhido homenagear na cerimônia de hoje pessoas tão diversas quanto um poeta e um tecnólogo de Israel, um empresário de Hong Kong, um matemático do Canadá, um médico da Austrália e um sociólogo do Brasil.

•

Como brasileiro e latino-americano gostaria de lhes pedir permissão para dizer algumas palavras de elogio e gratidão pela notável contribuição dos judeus à democracia e à cultura em nosso continente.

Tenho o privilégio de estar acompanhado nesta cerimônia por alguns de meus amigos e colegas mais próximos do Brasil. Um deles, o historiador Boris Fausto, em seu estudo pioneiro sobre a imigração judaica no Brasil, descreve os preconceitos e discriminações que os judeus tiveram que enfrentar em decorrência de uma contraditória acusação, a de serem plutocratas e revolucionários.

E, não obstante, contra ventos e marés, eles prosperaram, porque junto com seus parcos pertences tinham trazido consigo ao Novo Mundo um forte sentido de identidade, a riqueza de sua vida comunitária, a propensão ao trabalho árduo e a capacidade de construir instituições sociais. Construíram uma rede de sinagogas, associações voluntárias e de ajuda mútua, restaurantes *kosher*, escolas, bibliotecas e teatros, que lhes permitiram integrar-se em sociedades multiculturais sem perder suas raízes.

Demonstraram um excepcional talento como vendedores de porta em porta, chamados de *clientelchiks* no Brasil e de *cuenteniks* na Argentina. A invenção de mecanismos eficientes de crédito informal levou muitos deles a se transformarem em bem-sucedidos comerciantes e industriais.

A mobilidade social ascendente não foi de modo algum uma exceção brasileira. Em sua história social dos judeus de Buenos Aires, Eugene Sofer observa que, para os fugitivos dos pogroms da Europa do Leste, a Argentina aparecia como um lugar de esperança: "Se não a terra prometida, pelo menos uma terra de promessas."

Originariamente destinados a se assentarem em colônias agrícolas, os emigrantes judeus rapidamente se aproveitaram das oportunidades oferecidas pela urbanização e pela industrialização. A expressão "plantamos trigo e colhemos doutores" sintetiza esta transição do campo para a cidade.

Do mesmo modo, o apego à liberdade e à história que haviam trazido do Velho Mundo os levou a se posicionar nas linhas de frente da história política e intelectual da América Latina. Desde o início do século XX, judeus estiveram na vanguarda das lutas por justiça social. Em consequência, pagaram um preço particularmente alto por sua oposição às ditaduras que devastaram nosso continente dos anos 1960 a 1980 passado.

A ditadura militar argentina elegeu os judeus alvos prioritários em sua repressão bárbara a qualquer ato de contestação. No Brasil, o culto ecumênico na catedral de São Paulo em protesto contra a morte por tortura do jornalista Vladimir Herzog, desafiando a ameaça iminente de repressão, foi um ponto de virada na luta pelo restabelecimento da democracia e do Estado de Direito.

De Cesar Milstein, na medicina, a Daniel Barenboim, na música, de Clarice Lispector, na literatura, a Manuel Sadosky, na matemática, e José Goldenberg, na física, de Victor e Roberto Civita, na área de comunicação, aos irmãos Safra, nos bancos, passando por José Mindlin e Israel Klabin, na intersecção entre atividade empresarial e preocupação humanística, as contribuições dos judeus às artes e às ciências, aos negócios e à política são inumeráveis.

O que torna todas estas realizações ainda mais notáveis é que tudo isto foi alcançado num espírito de tolerância e respeito mútuo para com outras culturas e religiões, cada qual preservando sua própria identidade e o valor da diversidade.

Para concluir este capítulo com um exemplo significativo, gostaria de lembrar que o maior mercado ao ar livre do Rio de Janeiro, criado dois séculos atrás por comerciantes árabes e judeus, apropriadamente chamado de Saara, continua a vender todo e qualquer produto que se possa imaginar, num espírito compartilhado de coexistência harmoniosa.

•

Caros amigos,

Liberdade, pluralismo, criatividade e inovação são os pilares de sociedades abertas e democráticas. Os judeus, com sua capacidade inata de aprender, adaptar-se e coexistir, estão bem posicionados para prosperar neste planeta, que a cada dia se revela mais diverso e multicultural.

Mais do que nunca, temos hoje uma clara consciência de que vivemos todos em um só mundo, confrontados a um mesmo conjunto de problemas globais: terrorismo, proliferação nuclear, armas de destruição em massa, mudança climática, epidemias, violações sistemáticas de direitos humanos. Essas ameaças transnacionais nos obrigam a desenvolver um original ponto de vista da humanidade sobre como lidar eficazmente com problemas que nos afetam a todos.

Por outro lado, este sentido de pertencimento comum a um mundo frágil e finito coexiste com uma tendência de sentido oposto: o crescente poder da identidade e a ressurgência do sentimento de pertencimento. Cada comunidade quer preservar suas raízes culturais e identidade. Cada indivíduo quer viver a sua vida.

Cada sociedade — de Israel ao Brasil — deverá encontrar sua própria resposta ao paradoxo decorrente deste reencontro com os conceitos de humanidade e de comunidade, universalidade de valores e diversidade de culturas.

•

Caros amigos,

É tempo de concluir. Antes de fazê-lo, gostaria de lhes pedir licença para compartilhar algumas observações de caráter pessoal, saídas do fundo do coração, como um amigo de Israel e vosso hóspede no dia de hoje.

Minhas palavras serão ditadas pela razão e pela emoção. Tenho o maior respeito e admiração pelo engenho do povo judeu e pela fantástica realização histórica que é o Estado de Israel. Posso imaginar o sentimento de justo orgulho sentido por todos os artífices da construção de uma sociedade aberta e democrática, em que todos os judeus do mundo dispõem de um abrigo seguro, uma pátria onde cada um pode viver uma vida plena com liberdade e dignidade.

Cada vez que venho a Israel sinto-me frente a frente com a liberdade e a história em devir. Nesta pequena porção de terra um milagre aconteceu, uma promessa se realizou. E, no entanto, como em todos os empreendimentos humanos, problemas — velhos e novos — continuam sem solução.

Ouso dizer que, por maior que sejam suas realizações, os israelenses ainda estão confrontados com o desafio de viver em paz e segurança com seus vizinhos, especialmente os palestinos. Vocês araram a terra e fertilizaram o deserto. Israel reinventou uma língua, absorveu imigrantes de diferentes continentes, engendrou valores e instituições democráticas. Mas, é preciso dizer que, com mais poder e prosperidade, vem também maior responsabilidade.

Guerras sucessivas foram vencidas sem que a paz tenha sido alcançada. Por vezes, até mesmo a esperança da paz parece estar se evanescendo. Mas a esperança — como vocês bem sabem — tem o poder de mover montanhas.

Peço que me perdoem se lhes pareço estar transgredindo as regras da hospitalidade ao falar como estou falando agora. Permito-me fazê-lo porque estou profundamente convencido de que a paz seria para Israel a realização plena da promessa judaica. E a paz — como também sabemos — requer que o parceiro mais forte faça prova de generosidade.

Não pretendo de maneira alguma refazer a infindável enumeração de argumentos e contra-argumentos sobre as chances e as condições para a paz. Vocês todos as conhecem muito melhor do que qualquer estrangeiro lhes poderia dizer. No entanto, como um sociólogo que deseja o melhor para Israel, vou me limitar a acrescentar algumas poucas palavras mais.

O tempo urge. O mundo está mudando. O Oriente Médio está mudando. Israel está mudando. O *statu quo* é insustentável.

Sejam ousados e pragmáticos: façam a paz com os palestinos. Deixem os palestinos ou, ainda melhor, ajudem-lhes na construção de seu próprio Estado, democrático e pluralista. Promovam relações pacíficas, econômicas e culturais entre os dois Estados.

Sem a generosidade do parceiro mais forte e sem convicções democráticas, os valores fundamentais de humanidade, cultivados e preservados na visão de mundo judaico-cristã, continuarão irrealizados.

Os obstáculos são formidáveis. A tarefa é imensa. Mas existe uma tamanha vitalidade, uma tamanha energia nesta sociedade israelense, uma tamanha capacidade de inovação que tenho absoluta convicção de que os israelenses estão à altura do desafio de construir um novo tipo de *startup*, uma *startup* em prol da paz.

Se não vocês, quem? Se não agora, quando?

Muito obrigado.

## Reinvenção da democracia*

É para mim um privilégio falar nesta universidade que leva os nomes ilustres de Franklin e Eleanor Roosevelt sobre os desafios que se colocam à democracia no mundo de hoje. Tenho também perfeita consciência da responsabilidade que significa falar sobre democracia nos Estados Unidos, nesta data simbólica de 11 de setembro.

A democracia, como sabemos, é sempre uma obra aberta, em progresso, uma jornada incompleta, enraizada na história de cada sociedade. Estes últimos treze anos demonstraram de forma inequívoca que a democracia não pode ser imposta de fora para dentro e não se alcança de uma vez por todas.

Na América Latina, a democracia foi a grande causa de minha geração. Durante três décadas, dos anos 1960 aos anos 1980, lutamos duramente para realizar a transição da ditadura à democracia bem como para estabelecer uma relação de equilíbrio e respeito mútuo entre os poderes Executivo, Legislativo e Judiciário.

E, no entanto, mesmo nas regiões em que está mais profundamente enraizada — nas Américas e na Europa

---

* Conferência apresentada na cerimônia de recebimento do título de doutor *honoris causa*, na Universidade Roosevelt. Chicago, EUA, 11 de setembro de 2014.

— a democracia representativa está hoje em crise. No cerne desta crise está o hiato crescente entre as aspirações da população e a capacidade das instituições políticas de responder às exigências da sociedade.

Vivemos um momento histórico paradoxal em que o déficit cada vez mais profundo de confiança nas instituições políticas coexiste com a emergência de cidadãos capazes de fazer escolhas que conformam suas vidas e o futuro de suas sociedades.

O fio condutor da minha exposição é que hoje, mais do que nunca, a liberdade — esta insaciável aspiração humana — é a força transformadora que está exigindo uma revitalização da política e abrindo caminho para a reinvenção da democracia.

Franklin Delano Roosevelt reinventou o governo dos Estados Unidos em tempos de profunda crise nacional. Com sua radiante energia e autoconfiança, sem medo do futuro, estabeleceu um vínculo sem precedentes entre cada cidadão e a Nação.

Roosevelt proclamou como sua meta "uma vida melhor para todos os americanos e uma América melhor para se viver". Liberdade e segurança foram as pedras de toque de sua mensagem: liberdade de expressão, liberdade de culto, liberdade em relação à pobreza, liberdade em relação ao medo.

Como bem salientado pelo historiador da cultura Isaiah Berlin: "As grandes maiorias que Roosevelt obteve em suas quatro campanhas presidenciais se deveram, em última análise, a um obscuro sentimento por parte da maioria dos cidadãos dos Estados Unidos de que ele estava ao seu lado, lhes queria bem e iria certamente fazer algo por eles."

Franklin Roosevelt preservou e fortaleceu a democracia americana em tempos de medo e desordem no país e no mundo. Eleanor Roosevelt foi a defensora incansável dos mais vulneráveis e desempenhou um papel histórico de primeira grandeza na afirmação dos direitos humanos no centro da agenda internacional.

O New Deal, que transformou a sociedade americana, foi a inspiração e ponto de referência para a experiência de construção da social-democracia na Europa Ocidental pós-Segunda Guerra Mundial.

Com base na lição duramente aprendida após a Primeira Guerra, de que ódio e vingança por parte dos vencedores não levam à paz e à reconciliação, o Plano Marshall de reconstrução da Europa foi muito mais do que um programa econômico de emergência. Foi o que permitiu o soerguimento econômico da Europa, criando as condições para que um continente devastado alcançasse estabilidade econômica e coesão social. No modelo social-democrático, a liberdade floresceu junto com a prosperidade e a justiça social.

Por outro lado, é certo também que os anos cinquenta na Europa e nos Estados Unidos foram tempos de conformismo social. A prosperidade material conduziu à sociedade do consumo, e o medo, associado à Guerra Fria, a uma onda de conservadorismo político.

Esta pausa na dinâmica de mudança deflagrada nos anos trinta foi rompida pelas grandes transformações dos anos sessenta. Um novo espírito do tempo emergiu: rebelde, insolente, reivindicativo. Inquietação social, contestação da autoridade em todas as suas formas e mudanças culturais profundas marcaram esta extraordinária década de transição.

Dos Estados Unidos à Europa e à América Latina, movimentos sociais e culturais desafiaram normas e governos. O movimento pelos direitos civis questionou a discriminação racial, o movimento contra a guerra do Vietnã contestou a política externa americana, mulheres e jovens se revoltaram contra estruturas arcaicas de dominação e inventaram novos valores e modos de comportamento.

Nas sociedades abertas do Ocidente, este foi o momento em que o conceito de liberdade política começou a estender seu campo de aplicação à dimensão da vida privada e da intimidade. Cada um passou a reivindicar a liberdade de escolher sobre como viver sua vida.

Os indivíduos começaram a decidir por si mesmos como lidar com temas delicados e controversos, como sexualidade, casamento, reprodução, trabalho, fé, dever, lealdade, saúde e doença. Não como problemas abstratos, e sim como escolhas morais responsáveis com graves consequências.

A fermentação social e cultural desta década notável não podia deixar de influenciar o estado de espírito de uma geração de jovens imensamente criativos e inovadores, que lançaram a revolução nas tecnologias de comunicação que iriam marcar tão fortemente o mundo globalizado em que vivemos hoje.

O desenvolvimento de ferramentas comunicacionais personalizadas, a ênfase na inovação, compartilhamento e conectividade foram opções tecnológicas que fortaleceram significativamente a capacidade dos cidadãos de agir por si mesmos e das sociedades de se reinventar.

Meu amigo Manuel Castells foi um dos primeiros a argumentar que, ao encurtar drasticamente as dimensões de tempo e de espaço, as novas formas de comunicação eletrônica instantânea redesenharam a economia, a sociedade e a cultura.

Ao contrário de rupturas tecnológicas anteriores — do motor de explosão à eletricidade e à energia nuclear — as novas tecnologias de informação afetaram não só as técnicas de produção e as estruturas de organização como também a política, os valores e os modos de sociabilidade.

A disseminação dos computadores pessoais, a expansão da internet e da World Wide Web, a interconexão de cada um com todos, claramente facilitaram a transição de uma esfera pública ancorada nas instituições políticas para uma nova esfera pública ancorada no sistema de comunicação.

O impacto transformador das novas tecnologias foi imediato e devastador. Sociedades rígidas, autoritárias, burocráticas, incapazes ou temerosas de absorver as mudanças, foram irremediavelmente abaladas em seus alicerces. A União Soviética literalmente implodiu da noite para o dia.

A integração global dos mercados operando em tempo real permitiu ao capitalismo abranger a totalidade do mundo. A globalização fortaleceu o poder das empresas globais em detrimento dos Estados e, mais importante ainda, criou um mercado financeiro global, praticamente desregulado, que nos levaria à beira de uma catástrofe global com a crise financeira de 2008.

Menciono de passagem estas grandes transformações para chegar ao cerne da questão. A globalização está na raiz da crise de legitimidade que afeta a democracia representativa por duas razões, bastante distintas, mas convergentes. Entendida não só como o livre fluxo de bens econômicos e financeiros, mas também como a livre circulação de informações, ideias e valores, a globalização reduziu o poder dos Estados nacionais ao mesmo tempo que fortalecia o indivíduo enquanto cidadão.

Economia, comércio, comunicações e cultura se tornaram globais enquanto a democracia representativa permaneceu essencialmente nacional. Confrontada a tendências e ameaças globais, a capacidade dos Estados nacionais de prover segurança e estabilidade foi drasticamente reduzida.

Para surpresa de muitos foi no contexto institucional das Nações Unidas que a crescente influência dos cidadãos e de suas organizações emergiu em contraponto ao poder dos Estados nacionais. A despeito das belas palavras que abrem a "Carta da ONU" — "Nós, os povos das Nações Unidas" —, a ONU se estruturou como uma organização de estados-membros, preocupados, sobretudo, em evitar uma nova guerra mundial. Por consequência, os cidadãos tinham pouco a dizer em relação às questões da paz e da segurança internacional.

E, no entanto, começando timidamente nos anos 1970, a voz dos cidadãos começou a ser ouvida para além das fronteiras nacionais. Direitos Humanos foi o tema mobilizador. A Anistia Internacional convidou pessoas comuns a escrever *cartas de liberdade*, endereçadas a ditadores, juízes e autoridades penitenciárias em apoio a prisioneiros políticos sem distinção de regime político nem de ideologia.

A ação proposta era simples e revelou-se imensamente eficaz. Estava ao alcance de todos. Perseverança era o fator determinante. Uma vez adotado por um grupo de cidadãos, o prisioneiro não caía mais no esquecimento. Um gesto singelo, incansavelmente repetido, rompeu o silêncio e incomodou fortemente ditadores que se julgavam ao abrigo de qualquer crítica.

A salvaguarda dos direitos humanos ganhou espaço nas deliberações dos órgãos da ONU, e a voz das organizações que os defendiam passou a ser ouvida. Este foi o começo.

O mesmo aconteceu pouco depois com a temática dos direitos das mulheres. Em muitos países o apoio da ONU ofereceu a proteção indispensável para que as mulheres pudessem contestar estruturas patriarcais fortemente arraigadas.

Em seguida veio o tema global por excelência, o meio ambiente. Cientistas e ecologistas se aliaram para forçar os governos a reconhecer o óbvio: vivemos todos num só planeta cujos recursos são limitados.

Ameaças globais no campo da saúde, em especial a epidemia de aids nos anos oitenta e noventa, representaram outra oportunidade estratégica para a participação cidadã. Neste caso, doentes e médicos tiveram papel decisivo na redefinição da percepção pública do problema, fazendo com que o acolhimento e a solidariedade prevalecessem sobre o medo e a discriminação.

Em relação a estes e a muitos outros temas transnacionais, ONGs e movimentos sociais colocaram na mesa a sensibilidade para com uma causa de interesse público, informação confiável, capacidade de captação de recursos e de experimentação de abordagens alternativas mais eficientes.

Diferentes atores não estatais se fizeram ouvir como parceiros incontornáveis: coalizões da sociedade civil, comunidade científica, grupos de mulheres, populações indígenas, ambientalistas, parlamentares, autoridades locais.

Esta abertura da ONU às múltiplas vozes dos cidadãos do planeta fez com que, gradualmente, uma organização de estados-membros se transformasse num foro multitemático em que um emergente *ponto de vista da humanidade* começou a se fazer ouvir. Hoje é possível dizer que alguns dos problemas globais mais importantes do nosso tempo foram pautados pela sociedade civil e impulsionados pelo poder da opinião pública.

A disseminação das novas tecnologias de informação e comunicação potencializou a voz e a influência dos cidadãos. O global e o local se entrelaçaram, alimentando os debates e iniciativas nas redes sociais. Vale destacar que este processo foi facilitado pelo apoio prestado pelo secretariado da ONU, em sua grande maioria composto por homens e mulheres que compartilhavam de um mesmo conjunto básico de valores universais.

O fracasso dos governos e dos sistemas políticos nacionais em responder às crescentes demandas de uma população informada e atuante atingiu seu ponto culminante com a crise econômica e financeira de 2008. Seduzidos pela ideia de que os mercados eram capazes de se autorregular, os governantes foram incapazes de antecipar o colapso financeiro global e de proteger suas populações de suas desastrosas consequências.

Nos Estados Unidos, o impasse político, gerado pelas divisões partidárias, sufocou as esperanças geradas com a eleição do presidente Barack Obama. Na Europa, o próprio futuro da União Europeia está em jogo em função de sua incapacidade de prover estabilidade e segurança em tempos de incerteza econômica e social.

O que nos reserva o futuro? Todas as pesquisas de opinião corroboram que o déficit de confiança e o sentimento de rejeição a partidos políticos e parlamentos — coluna dorsal da democracia representativa — é tão generalizado na América Latina quanto na Europa e nos Estados Unidos.

No ano passado, milhões de brasileiros saíram às ruas de grandes e pequenas cidades para exprimir sua indignação com a incapacidade dos governantes de prover serviços públicos decentes nas áreas de educação, saúde e mobilidade urbana. Os brasileiros querem viver uma vida digna numa sociedade que não aceita mais a impunidade e a desigualdade diante da lei. A percepção de que os políticos são indiferentes a estas demandas explica o profundo sentimento de desconexão entre as aspirações da população e as instituições políticas.

E, no entanto, nossas sociedades mudaram muito — e para melhor — nas últimas décadas. A sociedade civil esteve na vanguarda da luta por democracia na América Latina. ONGs e movimentos sociais, esta dimensão *organizada* da sociedade civil, todavia não dão mais conta da amplitude e diversidade da ação cidadã.

Os cidadãos, hoje, têm múltiplas identidades e interesses. Origem étnica, faixa etária, crenças religiosas, orientação sexual, padrões de consumo, estilos de vida tendem a ser uma fonte mais poderosa de identidade do que um determinado *status* social.

As pessoas tendem a ser mais *inteligentes*, *rebeldes* e *criativas* do que no passado, à medida que são chamadas a fazer julgamentos de valor e escolhas de vida, sobre os quais, antes, havia conformidade com um destino preestabelecido.

Cidadãos informados e alertas não aceitam mais o papel de plateia passiva. Não querem ser espectadores, e sim atores. Querem falar e ser ouvidos. Querem que a verdade lhes seja dita de forma clara e direta, e querem ter certeza de que sua opinião será levada em conta. A conversa constante que têm uns com os outros nas redes sociais é, ao mesmo tempo, pessoal e interativa.

O dinamismo de uma sociedade aberta e conectada como a do Brasil contemporâneo reclama uma postura mais eficiente e menos arrogante por parte do Estado.

Em sistemas complexos a ordem não se impõe de cima para baixo a partir de um centro de comando e controle. Não há mais uma única narrativa guiando a ação de todos os atores. A mudança é um processo constante que ocorre simultaneamente em múltiplos pontos. Vidas pioneiras, experiências inovadoras geram uma massa crítica de ideias e mensagens que é ampliada e retransmitida por comunicadores para todo o sistema.

Entender estas profundas mudanças na sociedade e a emergência de um novo indivíduo, mais conectado do que organizado, é o desafio incontornável para o líder democrático no mundo de hoje. As democracias contemporâneas tendem a ser um espaço coletivo de diálogo e deliberação, e não só um contexto formal de instituições das quais emerge uma *vontade geral*.

Há que nos perguntarmos: ainda faz sentido falar de uma *vontade geral* em sociedades complexas e reflexivas? Penso que não. O que temos hoje como resultado do processo democrático são decisões ou regras que exprimem o entrechoque de interesses e valores. Quanto mais aberto e transparente for o processo de tomada de decisão, mais legítimo ele será. O que importa não é uma fluida *vontade de todos*, e sim a participação de todos os interessados na deliberação.

Esta realidade emergente requer um estilo radicalmente novo de liderança política. Se houve uma lição que aprendi em meus oito anos de presidente do Brasil foi que, no mundo de hoje, liderança política não se ganha mais de uma vez por todas. Ela precisa ser constantemente cultivada e renovada.

Não é mais possível para o líder impor sem negociar, decidir sem ouvir, governar sem explicar e sem persuadir. Votos numa eleição, mesmo que sejam muitos milhões, não bastam. No dia seguinte há que recomeçar praticamente a partir do zero. Ou o líder inspira e mobiliza em torno a uma visão de futuro, ou a perda de poder é inevitável.

A democracia, sem a menor dúvida, implica o respeito aos direitos políticos e liberdades cívicas básicas, tais como um sistema político multipartidário, eleições legítimas, liberdade de expressão e respeito às leis sem influência do poder e do dinheiro. Mas a democracia contemporânea é mais do que a soma de suas instituições e procedimentos.

Numa definição mais substantiva, a democracia se enraíza na sociedade, cultivada e fortalecida por uma cultura cívica de participação, responsabilidade e debate.

É cedo para prever como este processo pelo qual os cidadãos assumem a responsabilidade pelas escolhas que dão sentido a suas vidas se relaciona com a democracia representativa. Minha esperança é que haverá de influenciá-la e, assim fazendo, ajudará a revitalizar a democracia representativa — e a reinventar a própria democracia.

Repensar a democracia nada tem a ver com imposição de restrições à liberdade e controle da sociedade. Nosso objetivo não é enfraquecer a democracia representativa, mas consolidá-la, explorando novos mecanismos através dos quais possa se comunicar com outras formas de manifestação da sociedade.

Na verdade, isso já está ocorrendo tanto nos Estados Unidos quanto no Brasil. O movimento pelo pleno reconhecimento dos direitos dos gays nos Estados Unidos é o exemplo mais recente de como se dá esta interação entre pressão da sociedade e mudança no plano legal e institucional. O reconhecimento de direitos antes negados foi impulsionado por uma mobilização social e cultural que pouco a pouco permeou o sistema político e o judiciário. Outro exemplo, este vindo do Brasil, foi a aprovação pelo Congresso da chamada Lei da Ficha Limpa, impedindo que candidatos condenados em segunda instância pudessem concorrer às eleições. A iniciativa da lei veio de grupos de cidadãos que souberam aproveitar os espaços das redes sociais para ganhar apoio na opinião pública.

Confrontados com temas que envolvem delicadas questões de natureza bioética — como as pesquisas com células-tronco, interrupção voluntária da gravidez ou o direito de morrer com dignidade — parlamentos e tribunais em diferentes países têm recorrido a audiências públicas e a comissões de ética, nas quais a voz de diferentes segmentos da opinião pública e da comunidade científica se faz ouvir.

A decisão em última instância sobre estes temas continua nas mãos de parlamentares e de juízes, mas o processo de deliberação e de formação de opinião é muito mais amplo do que no passado.

É hora de concluir. Vivemos hoje numa era de riscos e de incertezas. As grandes narrativas estão em crise e tudo parece estar em processo acelerado de transformação.

Como alguém que se interessou sempre por captar o novo, o inesperado mais do que o inevitável, o já sabido, tenho a convicção de que estamos vivendo num novo mundo em que o poder é mais difuso, as inovações tecnológicas impulsionam a mudança social, os estados são mais vulneráveis e as sociedades, mais resilientes.

É tempo, portanto, de ir além do conceito de que só o estado pode construir a nação. A ação cidadã e a opinião pública têm um crescente poder transformador. Mas as instituições são imprescindíveis. Não há democracia sem partidos políticos.

As estruturas configuram o campo de possibilidades para a ação humana, mas é a vontade de indivíduos e de segmentos da sociedade, inspirada por valores e interesses, que criam a brecha para as mudanças.

Compartilho com meu amigo Albert Hirschman um insopitável viés pela esperança. Na minha visão, a política não é a arte do possível. É a arte de tornar o necessário possível. Em outras palavras, política é a arte de ampliar o campo de possibilidades.

Muito obrigado.

## Sobre o autor e o organizador

FERNANDO HENRIQUE CARDOSO é sociólogo e professor. Foi senador, ministro do Exterior e da Fazenda e Presidente da República por dois mandatos consecutivos (1995-1999 e 1999-2003). Após a Presidência, vem participando do debate sobre democracia e desenvolvimento no Brasil e se dedicando à promoção da paz, da justiça e da democracia na esfera global. Pela Civilização Brasileira publicou *A soma e o resto*, *Relembrando o que escrevi* e *A arte da política*, entre outros livros.

MIGUEL DARCY DE OLIVEIRA é diplomata e cientista político. Membro do Conselho da Comunidade Solidária, coordenou os programas de promoção do voluntariado e de fortalecimento da sociedade civil no Brasil. Presidente do Civicus, Aliança Mundial para a Participação Cidadã. Desde 2003 é assessor internacional de Fernando Henrique Cardoso.

*O texto deste livro foi composto em Minion Pro Regular, corpo 12/16.*

*A impressão se deu sobre papel off-white pelo Sistema Cameron da Divisão Gráfica da Distribuidora Record.*